Les
secrets de la sagesse
du magazine **SPIRIT&DESTINY**

Les secrets de la sagesse
du magazine **SPIRIT&DESTINY**

SOUS LA DIRECTION D'EMILY ANDERSON

**Avec la participation de Eckhart Tolle,
William Bloom, Deepak Chopra, Diana Cooper,
Doreen Virtue, Silja, Sarah Shurety,
Fiona Harrold, Barefoot Doctor, David Wells, Gordon
Smith et plusieurs autres**

Traduit de l'anglais
par Sylvie Fortier

AdA Inc.

Syntonisez radio Hay House à www.HayHouseRadio.com

Les auteurs du présent recueil ne dispensent pas d'avis médicaux, pas plus qu'ils ne prescrivent l'utilisation de quelque technique que ce soit pour traiter des problèmes médicaux ou physiques, sans l'avis d'un médecin, soit directement ou indirectement. Les auteurs ont pour unique objectif de proposer des renseignements généraux qui pourront vous aider dans votre quête de bien-être émotionnel et spirituel. Les auteurs et l'éditeur déclinent donc toute responsabilité quant à vos actions, dans le cas où vous choisiriez d'utiliser pour vous-même les renseignements contenus dans ce livre, une décision qui relève de vos droits constitutionnels.

Éditeur : François Doucet
Traduction : Sylvie Fortier
Révision linguistique : Féminin Pluriel
Révision : Nancy Coulombe, Suzanne Turcotte
Image de la page couverture : www.camerapress.com
Graphisme : Sylvie Valois
ISBN 978-2-89565-552-7
Première impression : 2007
Dépôt légal : 2007
Bibliothèque et Archives nationales du Québec
Bibliothèque Nationale du Canada

Éditions AdA Inc.
1385, boul. Lionel-Boulet
Varennes, Québec, Canada, J3X 1P7
Téléphone : 450-929-0296
Télécopieur : 450-929-0220
www.ada-inc.com
info@ada-inc.com

Diffusion
Canada :   Éditions AdA Inc.
France :   D.G. Diffusion
             Z.I. des Bogues
             31750 Escalquens   France
             Téléphone : 05.61.00.09.99
Suisse :   Transat - 23.42.77.40
Belgique :   D.G. Diffusion - 05.61.00.09.99

Imprimé au Canada

Participation de la SODEC.

Nous reconnaissons l'aide financière du gouvernement du Canada par l'entremise du Programme d'aide au développement de l'industrie de l'édition (PADIÉ) pour nos activités d'édition.

Gouvernement du Québec - Programme de crédit d'impôt pour l'édition de livres - Gestion SODEC.

Catalogage avant publication de Bibliothèque et Archives nationales du Québec et Bibliothèque et Archives Canada
Vedette principale au titre :
    Les secrets de la sagesse : perles de sagesse inédites des principaux penseurs spirituels de notre époque
    Traduction de: Spirit & Destiny soul secrets.
    ISBN 978-2-89565-552-7
    1. Spiritualité. 2. Sagesse. 3. Morale pratique. I. Anderson, Emily.
BL624.S6414 2007   204   C2007-940538-X

TABLE DES MATIÈRES

PRÉFACE

Plusieurs des lectrices de ce recueil connaîtront le magazine *Spirit&Destiny*, puisqu'elles font déjà partie de notre fidèle lectorat, fort de plusieurs milliers d'abonnées.

Notre magazine est bien connu des spécialistes œuvrant dans le domaine du corps, de l'âme et de l'esprit, mais je me permettrai de le présenter brièvement aux personnes qui ne l'ont jamais eu entre les mains afin de le leur faire connaître.

En quatre ans d'existence, *Spirit&Destiny* est devenu le magazine le plus important du Royaume-Uni dans le domaine du corps, de l'âme et de l'esprit. Chaque mois, nous offrons à notre lectorat une publication de luxe, colorée et moderne, remplie d'un mélange stimulant de délices spirituelles et nouvel âge, où nous abordons une multitude de sujets, de l'astrologie à la médecine holistique, en passant par les médiums, les chiromanciens, le paganisme et les modes de vie écologiques.

Fait plutôt inhabituel pour un magazine, la variété et la diversité du contenu de *Spirit&Destiny* sont à l'image de son lectorat, provenant d'un peu tous les horizons.

Le point commun entre toutes ces personnes est leur fascination pour la spiritualité. Non pas la spiritualité dans le sens étroit et religieux du terme, mais plutôt dans le sens de cet aspect proposant une palette infinie de significations, de cette conscience que la vie est bien plus que la matérialité composant l'ordinaire de notre quotidien.

Ces personnes ont en commun la quête de l'illumination et du développement personnels, ainsi que le désir de mieux comprendre la portée plus vaste de l'existence. Elles partagent également la conscience croissante des efforts essentiels que nous devons fournir pour faire de notre société un monde meilleur et plus aimant.

Il tombait donc sous le sens pour nous de dépasser la portée de notre magazine pour offrir à notre lectorat, et au public en général, un aperçu original et précieux de la sagesse collective des gourous du XXIᵉ siècle.

Le magazine *Spirit&Destiny* vise à édifier, divertir, inspirer et informer. Et c'est précisément dans ce but que nous vous offrons *Les secrets de la sagesse.*

Elayne DeLaurian
Éditrice de lancement du magazine *Spirit&Destiny*

INTRODUCTION

Je fais partie de l'équipe du magazine *Spirit&Destiny* depuis quatre ans et, à ce titre, j'ai eu le plaisir et le privilège de rencontrer et d'interviewer plusieurs des plus grands spécialistes et chefs de file du domaine du corps, de l'âme et de l'esprit. J'ai rencontré Eckhart Tolle, Wayne Dyer, Dadi Janki, Brian Bates et Gordon Smith. J'ai eu de longues et merveilleuses conversations téléphoniques avec, entre autres, Diana Cooper, Emma Restall Orr, Doreen Virtue, William Bloom et Fiona Harrold. J'ai aussi pris plaisir à côtoyer plusieurs intervenants de tous les milieux : magiciens, païens, clairvoyants, médiums, fées, spécialistes des anges, enseignants et guérisseurs.

Après avoir écrit et édité un nombre incalculable d'entrevues, je me suis dit : « *Ce serait vraiment formidable de publier un recueil des perles de sagesse de toutes ces personnes incroyables et tellement inspirantes dont nous avons parlé dans* Spirit&Destiny, *et aussi d'y inclure toutes celles que nous n'avons pas encore invitées, mais que nous espérons pouvoir présenter.* »

J'ai donc dressé une liste de 150 personnes de célébrité et de fortune différentes que notre équipe souhaitait voir participer au projet, qui œuvrent à la création d'un monde meilleur et sont toutes remarquablement compétentes en matière d'enseignement et de guérison.

L'objectif consistait à rassembler un groupe représentatif de noms bien connus, tels Deepak Chopra et Barefoot Doctor, de spécialistes moins connus mais en plein essor, et de collaborateurs et chroniqueurs réguliers de notre magazine. Par ailleurs, nous voulions aborder le plus grand nombre possible de traditions ésotériques – des anges et de la lecture des auras à la santé alternative et à l'astrologie – afin de présenter une grande variété de points de vue, composant ainsi un recueil où chacun trouverait son compte.

Pendant neuf mois, j'ai envoyé des courriels, donné des coups de fil et couru après les personnes de notre liste, afin de vérifier leur désir de participer à un projet qui ne leur rapporterait que le prestige de voir leurs écrits figurer dans un recueil exhaustif de secrets spirituels selon les meilleurs intervenants dans le domaine. Afin de présenter un contenu original et stimulant, nous voulions que chaque participant fournisse du matériel inédit, exclusivement conçu pour le recueil. Nous voulions aussi que les lecteurs aient le sentiment de découvrir des secrets, de nouveaux renseignements et des points de vue qu'ils ignoraient, mais qui s'avéraient assez importants pour être transmis au public.

On sait que les bonnes questions font les bonnes entrevues : posez les bonnes questions et vous obtiendrez des réponses intéressantes, parfois profondes, qui donnent matière à réflexion. J'ai donc rédigé plus de 20 questions, en les adaptant au champ de spécialisation de chacun. J'ai demandé à nos collaborateurs de parler de leur signe astrologique et de leurs sources d'inspiration, de raconter leurs premiers souvenirs et des histoires sur leurs vies antérieures, de suggérer des trucs infaillibles en matière de méditations édifiantes, de régimes santé et de sortilèges éprouvés. Les questions ayant suscité certaines des réponses les plus intéressantes abordaient des sujets comme : quelles croyances profondes vous aident à tenir le coup, quand les choses vont mal ? ; quel est votre rêve secret pour améliorer le monde ? ; et que savez-vous de l'avenir de notre planète ?

Pour que *Les secrets de la sagesse* présente un aspect varié et ressemble à un magazine, j'ai laissé les collaborateurs libres de répondre à l'ensemble des questions comme s'il s'agissait d'un questionnaire, de se concentrer uniquement sur un certain nombre de sujets, ou de rédiger un texte étoffé en ne privilégiant qu'un seul thème. L'échéancier était passablement serré, mais au bout du compte, plus de 70 personnes ont participé à la création de cette œuvre unique et spéciale.

L'organisation du recueil en chapitres s'est faite naturellement. Je ne voulais pas nécessairement regrouper les méditations dans un chapitre et les trucs dans un autre. Je souhaitais que les différents outils soient disséminés à travers le recueil, de manière que le lecteur puisse l'ouvrir à n'importe quelle page et y lire des textes de styles variés. C'est ainsi que les sujets abordés – anecdotes du passé, du présent et de l'avenir, santé, beauté, sexe, etc. – ont servi de cadre à l'organisation du contenu.

Heureusement, d'autres chapitres voyaient le jour au fur et à mesure que les textes me parvenaient, jusqu'à ce que se dessine clairement l'ordre dans lequel ils devraient apparaître pour être non seulement intéressants, mais aussi en harmonie avec le sujet traité. Recevoir un nouveau texte et savoir exactement où il s'insérerait dans l'ordre des choses s'avérait très stimulant pour moi. Mais de nouveaux chapitres ont continué de s'ajouter jusqu'à ce que je reçoive les derniers textes.

Fait surprenant, le chapitre sur l'amour a été l'un des derniers à prendre forme, même s'il était l'un des plus évidents pour moi. J'ai toujours pensé que l'amour constitue la réponse à la majorité des problèmes du quotidien, qu'il peut réellement changer le monde et que, comme le chantaient les Beatles, *Love is all you need* – l'amour est tout ce dont nous avons besoin.

Or, c'est précisément ce que certains des plus remarquables écrivains et penseurs de ce recueil affirment. En fait, c'est l'un des thèmes récurrents du recueil et une telle bouffée d'espoir que vous ne pourrez que vous sentir mieux après avoir l'avoir lu au complet.

J'ai été électrisée et encouragée en lisant les textes de nos collaborateurs. Je me suis sentie réellement édifiée par leur travail magnifique, généralement positif et optimiste. Là où le ton n'est pas positif, c'est qu'il s'agit d'un cri d'alarme nous invitant à changer nos façons de faire ou d'une explication quant aux moyens à appliquer pour transformer notre civilisation en un monde meilleur.

J'ai été vraiment honorée d'être le témoin et la responsable des pensées et des émotions sincères et authentiques des participants : ils font état d'une réelle puissance, en particulier si nous appliquons leur sagesse et vivons en suivant les exemples et les conseils précieux qu'ils nous proposent. Je souhaite que vous ayez autant de plaisir que moi à lire *Les secrets de la sagesse.*

Mes remerciements et mon amour vont à toutes les personnes qui ont participé au recueil (même celles dont les textes n'ont finalement pas été retenus, pour une raison ou une autre). Un grand merci aux lectrices de *Spirit&Destiny* :

la création de ce livre aurait été impossible sans vous. Et ma reconnaissance éternelle va à Elayne, éditrice de lancement et créatrice du magazine *Spirit&Destiny* : rien de tout cela n'aurait vu le jour sans toi.

Emily Anderson
Responsable des œuvres de commande
du magazine *Spirit&Destiny* et éditrice intellectuelle
du recueil *Les secrets de la sagesse*

RÉPERTOIRE DES AUTEURS

Jane Alexander est journaliste et écrivaine, spécialisée en santé naturelle, en mode de vie holistique et en spiritualité contemporaine.

Caroline Shola Arewa est auteure et spécialiste en santé et en réussite; elle est maître en yoga et guide de vie.

Pamela J. Ball est auteure et conseillère en développement de carrière; elle utilise l'astrologie, la clairvoyance, la perception spirituelle et l'analyse des rêves dans son travail avec sa clientèle.

Barefoot Doctor étudie et pratique depuis près de quarante ans les arts martiaux, le yoga, la méditation, le taoïsme, le bouddhisme, la médecine chinoise, l'acupuncture, le shiatsu, le massage craniosacral, l'hypnothérapie, le chamanisme, la médecine amérindienne, l'épanouissement psychique et diverses voies spirituelles.

Sarah Bartlett est écrivaine; astrologue attitrée de *Spirit&Destiny*, elle a déjà occupé le même poste au magazine *Elle* et au journal *The Sunday Express*.

Brian Bates est spécialiste de la spiritualité anglosaxonne et des pratiques chamaniques à travers le monde; il travaille avec les sages tribaux et avec les sorciers et sorcières. Professeur de psychologie, il enseigne la conscience chamanique à l'Université du Sussex.

Laura Berridge est consultante en image holistique, créatrice de mode, guérisseuse, chromatothérapeute, praticienne en interprétation du visage et praticienne en PNL[1].

---

1   Programmation neurolinguistique. (*NDT*)

William Bloom est directeur du réseau The Holism Network. Dans le domaine de la spiritualité moderne et du mode de vie holistique, c'est l'un des enseignants, des écrivains et des guérisseurs les plus expérimentés du Royaume-Uni.

Dawn Breslin est aussi l'une des plus grands guides en acquisition de confiance en soi au monde. Auteure et spécialiste des stratégies pratiques pour sortir de la dépression ainsi que de la confiance en soi chez les femmes, elle participe régulièrement aux émissions de GMTV avec Lorraine Kelly.

Le **docteur John Briffa** est un praticien en santé naturelle et le gourou de *Spirit&Destiny* en matière d'alimentation. Il a signé un nombre incalculable d'articles sur les aliments et la santé dans plusieurs publications dont, récemment, *The Observer* et le *Daily Mail*.

Simon Brown est consultant en feng shui, en interprétation du visage, en macrobiotique et en astrologie; il pratique également la guérison et le shiatsu.

Deepak Chopra, M.D., est l'un des principaux pionniers de la médecine alternative, œuvrant à la transformation de la vision humaine en matière de santé physique, mentale, émotionnelle, spirituelle et sociale.

Clairvoyante et guérisseuse, **Sonia Choquette** est également maître spirituelle. Sa spécialité consiste à guider ses congénères hors de l'âge des ténèbres vers le XXIe siècle, en les aidant à découvrir leurs possibilités créatrices et leur pouvoir personnel.

Carina Coen est thérapeute de beauté holistique dans le centre de Londres; elle incorpore à sa pratique la divination par les cartes, la massothérapie aux huiles essentielles, l'exfoliation corporelle à sec, la méditation et la guérison.

Diana Cooper est une guérisseuse très aimée qui travaille avec les êtres angéliques. Auteure d'ouvrages édifiants traduits en 20 langues, elle anime des ateliers à travers le monde afin d'apporter guérison et inspiration à tous ceux qu'elle rencontre.

Hazel Courteney est une chroniqueuse primée dont les articles paraissent depuis quinze ans dans de nombreuses publications, dont le *Daily Mail* et *The Sunday Times*. Chroniqueuse pour *Spirit&Destiny*, elle donne également de nombreuses conférences sur la santé et la spiritualité.

Scientifique, sensitive, guérisseuse et géomancienne cosmique de renommée internationale, **Jude Currivan, Ph. D.,** poursuit depuis l'enfance des recherches sur la sagesse ancienne, la conscience et la métaphysique. Détentrice d'un doctorat en archéologie et d'une maîtrise en physique de l'Université d'Oxford, elle est spécialisée en cosmologie et en physique quantique.

Sarah Dening est une psychothérapeute jungienne qui s'intéresse surtout à l'analyse des rêves, à la synchronicité et aux relations entre les énergies féminine et masculine. Au cours des dix dernières années, elle a signé des chroniques hebdomadaires d'interprétation des rêves dans le *Daily Mail,* le *Daily Express* et le *Daily Mirror.*

Née à Glasgow, **Dronma** est artiste peintre. Adepte du bouddhisme tibétain, elle travaille avec le médium Gordon Smith à peindre les êtres qui se manifestent à partir des dimensions spirituelles.

Le **docteur Wayne W. Dyer** est l'une des personnalités les plus connues et les plus respectées dans le domaine de l'autonomisation de soi. Auteur à succès de plusieurs ouvrages de croissance personnelle devenus des classiques, il détient un doctorat en psychothérapie du counseling et consacre le plus clair de son temps à enseigner aux autres la manière de surmonter les obstacles à la réalisation de leurs rêves.

Magicienne solitaire, adepte de la magie blanche et druidesse confirmée, **Cassandra Eason** est l'auteure de 70 ouvrages diffusés à travers le monde sur la magie, la divination, l'épanouissement psychique et la spiritualité naturelle.

Ayant vécu des expériences paranormales et surnaturelles depuis sa naissance, **Chris Fleming** est devenu un sensitif qui s'intéresse aux esprits et aux activités inexpliquées, comme les facultés extrasensorielles, l'empathie et la précognition. Il participe aujourd'hui à l'émission *Dead Famous,* de Living TV, où il enquête sur les manifestations fantomatiques avec Gail Porter.

Femme d'affaires du domaine des relations publiques, **Lynne Franks** est aujourd'hui auteure holistique, conférencière et communicatrice. Décrite par les médias internationaux comme une visionnaire et une gouroue du mode de vie, Lynne est la fondatrice de SEED, *Sustainable Enterprise and Economic Dynamics,* un fournisseur de programmes d'apprentissage destinés aux femmes, portant sur l'autonomisation économique, les pratiques d'affaires axées sur le développement durable et le leadership communautaire.

Adam Fronteras est astrologue, tarologue, auteur et spécialiste des rêves. Il exploite aussi Esoteric Entertainment, une entreprise dont la mission consiste à fournir de l'information psychique aux médias.

Maître spirituel, **George David Fryer** est un artiste clairvoyant qui dessine des guides spirituels, des mandalas et des scènes de vies antérieures.

Écrivaine, **Alicen Geddes-Ward** est aussi prêtresse des fées. À ce titre, elle parcourt le Royaume-Uni pour donner des conférences et des ateliers sur la pratique spirituelle féerique. Invitée à la télévision et décrite comme « la principale représentante des fées au Royaume-Uni », elle a aussi fait l'objet d'articles dans les magazines.

Depuis le début de son adolescence, **Samantha Hamilton** ébahit les gens grâce à ses pouvoirs psychiques. Elle rédige également des articles pour différents journaux et magazines, dont *Spirit&Destiny*.

Joan Hanger est l'une des spécialistes des rêves les plus renommés de la planète. Sa clientèle s'est toujours composée d'un grand nombre de célébrités, entre autres la princesse Diana, aujourd'hui décédée. Joan signe une chronique mensuelle dans le magazine *Take A Break's Fate & Fortune,* où elle analyse les rêves des lecteurs.

Médium, artiste coiffeur et maquilleur, **Hamilton Harris** donne des lectures en se servant de son intuition, de cartes à jouer et de son propre index des couleurs. Il collabore souvent au magazine *Spirit&Destiny* à titre de spécialiste.

Fiona Harrold compte parmi les principaux guides de vie du Royaume-Uni. C'est aussi une auteure qui donne de judicieux conseils à ses clients, à sa manière directe mais amicale, afin de les aider à se concentrer sur l'atteinte de leurs objectifs et la réalisation de leurs rêves.

Louise L. Hay est auteure, enseignante et conférencière. En 1984, elle a fondé la maison d'édition Hay House, spécialisée dans la publication d'ouvrages sur le corps, l'âme et l'esprit, afin de diffuser ses ouvrages aujourd'hui succès de librairie, *Heal your body* et *Transformez votre vie,* dont plus de 30 millions d'exemplaires ont été vendus jusqu'à présent à travers le monde.

Médium et clairvoyante, **Tracy Higgs** donne des lectures de cartes amérindiennes. Chroniqueuse régulière pour *Spirit&Destiny,* elle a fait partie des clairvoyants invités à l'émission télévisée *X Factor.*

Inbaal est sorcière, tarologue et astrologue. En plus d'être actuellement présentatrice des émissions *Psychic Interactive, Psychic Zone* et *Good Morning Psychic,* de la chaîne Sky TV, elle est l'astrologue attitrée de *The Game Show,* émission de la station radiophonique TalkSport.

Judi James est bien connue comme spécialiste du langage corporel. Elle collabore régulièrement au magazine *Spirit&Destiny* et participe souvent à des émissions télévisées. En plus de signer des chroniques hebdomadaires analysant le langage corporel des célébrités, Judi anime sa propre série sur le sujet, *Naked Celebrity,* sur la chaîne Channel Five.

Codirectrice administrative de l'ONG[2] Brahma Kumaris World Spiritual University, **Dadi Janki** fait partie des «gardiens de la sagesse», un groupe d'éminents chefs spirituels et religieux qui conseillent les chefs politiques quant aux

---

2 Organisation non gouvernementale. (*NDT*)

dilemmes spirituels sous-jacents aux problématiques mondiales actuelles en matière d'environnement et d'établissements humains.

Guérisseuse énergétique et chamanique, **Pauline Kennedy** est aussi spécialiste du feng shui et communique avec les animaux. Elle signe une chronique régulière dans *Spirit&Destiny*.

Glennie Kindred a écrit neuf ouvrages sur les cycles de la Terre, les festivals saisonniers et la sagesse de la nature. Artiste et guérisseuse, elle donne des ateliers et organisait, à la fin des années 1980, le Healing Field du festival de Glastonbury.

Clairvoyante, astrologue et tarologue, **Michele Knight** fait partie des spécialistes qui collaborent régulièrement au magazine *Spirit&Destiny*. Elle participe également à différentes émissions de télévision comme *X Factor* et *Housebusters*, sur la chaîne Channel Five.

Lucy Lam est écrivaine et astrologue. Elle établit les horoscopes mensuels du magazine *Take A Break's Fate & Fortune* et signe les chroniques sur l'astrologie et les éphémérides de *Spirit&Destiny*.

Chroniqueur très populaire de *Spirit&Destiny*, **Stephen Langley** est spécialiste en santé alternative. Diplômé en naturopathie, en homéopathie et en acupuncture, il est également docteur en médecine chinoise et herboriste. Il a étudié la médecine holistique en Chine, en Inde, en Amérique, en Australie, au Tibet et au Japon.

Professeur de méditation, **Richard Lawrence** est clairvoyant et spécialiste des ovnis. Auteur d'ouvrages sur la méditation et l'épanouissement du potentiel intérieur, il est également fondateur du Inner Potential Centre de Londres.

Ambassadrice des modes de vie sains, **Gina Lazenby** a passé les quinze dernières années à faire de la recherche et à écrire sur les éléments indispensables à la poursuite d'une vie saine, nourrissante et équilibrée.

Leora Lightwoman donne des ateliers de tantrisme aux couples et aux individus depuis 1995. Elle organise régulièrement ses propres ateliers et séjours vacances sur la voie tantrique du diamant, axés sur l'exploration de la sexualité et de la spiritualité.

Chiromancien d'expérience, **Robin Lown** collabore régulièrement au magazine *Spirit&Destiny*. Il a analysé les lignes des mains de plusieurs célébrités et a participé à des émissions télévisées comme *Big Brother's Little Brother* et *This Morning*.

Mandy Masters est clairvoyante et médium en transe ; elle rédige une chronique régulière dans le magazine *Take A Break's Fate & Fortune*.

Formée en pratique chamanique, **Sue Minns** est une thérapeute qualifiée en régression dans les vies antérieures. Écrivaine, elle est aussi maître de conférences au College of Psychic Studies de Londres.

Sally Morningstar est écrivaine et professeure de magie naturelle. Elle dirige un service international de consultation psychique et de guérison, dans le Somerset, en Angleterre. Elle voyage un peu partout à travers le monde pour donner son programme d'apprentissage, ses ateliers et ses retraites magiques.

Leon Nacson est l'un des pionniers du mouvement de croissance personnelle en Australie, spécialisé en compréhension des rêves et en accompagnement onirique. En plus de participer à des émissions de radio et de télévision, il signe régulièrement des articles destinés aux journaux et aux magazines.

Michael Neill est guide de vie, maître enseignant certifié en PNL, présentateur radio, écrivain et générateur d'étincelles créatrices pour beaucoup de battants à travers le monde. Hypnotiseur réputé, Paul McKenna dit de Neill qu'il est son arme secrète; les deux hommes sont des collaborateurs de longue date dans leur domaine de prédilection.

Poète mythologue, écrivain, musicien et conteur d'histoires, **Kelfin Oberon** se produit lors de différents festivals et rassemblements alternatifs au Royaume-Uni et en Irlande.

Intuitive et psychologue pour les malentendants, la **docteure Susan Phoenix** est aussi guérisseuse énergétique et photographe des auras. Son éveil est survenu à la suite du décès tragique de son époux, Ian, dans l'un des pires écrasements d'avion militaire à survenir en temps de paix au Royaume-Uni.

Penney Poyzer est la spécialiste en mode de vie écologique du magazine *Spirit&Destiny*. Connue également sous le nom de *Queen of Green*, elle est la très pragmatique présentatrice de *No Waste Like Home,* émission télévisée de la BBC2 diffusée en période de pointe.

Emma Restall Orr est prêtresse druidique, maître spirituelle, chanteuse, poète et auteure à succès. Elle a été l'une des chefs du British Druid Order pendant plus de dix ans, avant de quitter l'organisation pour fonder le Druid Network.

Écrivain et spécialiste de l'art curatif oriental, **Jon Sandifer** possède plus de vingt-cinq ans d'expérience en feng shui, acupressure, macrobiotique, astrologie chinoise, feng shui astrologique (astrologie 9 ki), interprétation du visage et I Ching.

Ian John Shillito est clairvoyant, médium, chasseur de fantômes et écrivain. Il vient de terminer la corédaction d'un ouvrage sur les fantômes hantant les théâtres du West End. Directeur du premier cercle de clairvoyants gais du Royaume-Uni, il collabore comme chasseur de fantômes à *Spirit&Destiny*, ainsi qu'à l'émission *Most Haunted* de la chaîne Living TV.

Sur le plan international, **Sarah Shurety** est reconnue comme une spécialiste du feng shui. Elle a d'ailleurs signé plusieurs ouvrages sur ce sujet et sur celui de la guérison du foyer. Elle collabore régulièrement au magazine *Spirit&Destiny*.

Silja est la sorcière et la grande prêtresse attitrée de *Spirit&Destiny*. Elle y dispense sortilèges, conseils et connaissances pratiques de la sorcellerie depuis son lancement en octobre 2002. En raison de son approche amicale et pragmatique et grâce à l'efficacité de sa magie maison, Silja est l'une des chroniqueuses les plus populaires du magazine.

Auteur et médium remarquablement précis, **Gordon Smith** voyage à travers le monde pour faire la démonstration de ses compétences devant les célébrités et le grand public. En plus de contribuer à leur guérison, il a apporté son réconfort à des milliers de personnes.

Conseiller, auteur, formateur et conférencier, **Chuck Spezzano** est un leader visionnaire de réputation mondiale. Détenteur d'un doctorat en psychologie, il pratique le counseling depuis trente ans et a à son actif vingt-six ans de direction de séminaires et de recherche en psychologie.

Shelley von Strunckel est bien connue pour les chroniques astrologiques intelligentes et précises qu'elle signe dans plusieurs publications quotidiennes, hebdomadaires et mensuelles comme *The Sunday Times* et dans différents journaux et magazines publiés en Europe, au Moyen-Orient, en Australie et en Asie, notamment le *South China Morning Post* de Hong Kong, le *Gulf News,* et les éditions française, anglaise et chinoise du magazine *Vogue.*

Descendante de cinq générations de guérisseurs russes, **Alla Svirinskaya** est guérisseuse et auteure. Formée en médecine, elle exploite une pratique privée de guérison fort prospère à Londres. En plus de collaborer avec différents journaux, elle a participé à plusieurs émissions de télévision et de radio.

Angela Tarry est diplômée en psychothérapie et en chromatothérapie. Elle participe aux principales expositions du Royaume-Uni, où elle photographie et analyse les auras.

Gloria Thomas est écrivaine et spécialiste en santé holistique et en condition physique. Elle incorpore à sa pratique l'intuition psychomédicale, la PNL, l'hypnothérapie, la thérapie par les champs de pensée et la guérison pour améliorer l'état mental, émotionnel, physique et spirituel de sa clientèle.

Maître spirituel, **Eckhart Tolle** est l'auteur du *Pouvoir du moment présent,* succès de librairie traduit en plus de 30 langues et largement reconnu comme l'un des ouvrages spirituels les plus marquants de notre époque.

Psychologue, anthropologue médical et chaman, **Alberto Villoldo** a fondé la Four Winds Society, un organisme offrant un cadre scientifique qui lui permet de transmettre l'art ancien de la médecine énergétique par des ateliers, des causeries et des livres.

Docteure en psychologie, **Doreen Virtue** est une maître spirituelle aimée et connue qui représente la quatrième génération d'une lignée de métaphysiciens. Dans ses écrits et ses ateliers, elle collabore avec les énergies angéliques, les élémentaux et les maîtres ascensionnés.

Clairvoyante, maître spirituelle, tarologue et guérisseuse, **Jayne Wallace** se sert de la spiritualité, des cristaux et du reiki dans sa pratique de guérison. Elle collabore régulièrement comme spécialiste au magazine *Spirit&Destiny* et signe une chronique mensuelle sur le tarot dans le magazine *Take A Break's Fate & Fortune.*

Becky Walsh est médium et enseigne l'épanouissement des facultés psychiques au College of Psychic Studies de Londres. Animatrice d'une émission régulière à la radio LBC de Londres, elle collabore souvent au magazine *Spirit&Destiny.*

Summer Watson est thérapeute des domiciles, sourcière des lignes de champ et spécialiste du feng shui. Elle se passionne également pour la nutrition consciente, l'entraînement physique intelligent, la prévention naturelle du vieillissement, la survie au stress, les maisons saines et la gestion de l'énergie vitale.

Thérapeute très en demande pendant vingt ans, **Wyatt Webb** a créé et exploite aujourd'hui The Equine Experience, nouvelle forme de thérapie alliant l'intelligence du cheval et le bon sens dans le cadre d'un centre thermal situé à Tucson, en Arizona.

Astrologue, tarologue et spécialiste des vies antérieures, **David Wells** fait partie de la distribution de *Most Haunted,* émission télévisée de la chaîne Living TV. En plus de participer à d'autres émissions télévisées où il dispense ses connaissances et ses intuitions, il signe les horoscopes publiées régulièrement dans *The Daily Record,* un quotidien écossais.

Kate West est sorcière, écrivaine et mère de famille (pas nécessairement dans cet ordre). Praticienne de la sorcellerie depuis plus de vingt-cinq ans, elle a écrit plusieurs ouvrages édifiants sur le sujet, dont la série *Real Witches'...*

Stuart Wilde est écrivain, visionnaire et mystique urbain. Certains le considèrent comme un spécialiste des mondes transdimensionnels et des phénomènes surnaturels.

Guide de vie et formateur en communication, **Perry Wood** est aussi écrivain et «chuchoteur de chevaux». En plus de collaborer à *Spirit&Destiny,* où il offre de judicieux conseils en matière de communication, il anime régulièrement des ateliers.

PREMIÈRE PARTIE –

passé, présent, avenir;
espoirs et rêves;
croyances et sources d'inspiration

Eckhart Tolle

Même si nous assistons véritablement à un changement de conscience à l'échelle de la planète, pour l'instant, les choses s'améliorent et dégénèrent tout à la fois. L'insanité des anciennes façons de faire et la conscience égoïque obsolète gagnent en intensité et leur rythme s'accélère. En même temps, beaucoup de gens prennent soudainement conscience d'une nouvelle façon d'être et de vivre, et découvrent finalement la paix intérieure. C'est uniquement quand un nombre suffisant d'humains auront accédé à la dimension supérieure de la paix intérieure que la paix se manifestera à l'extérieur. Vous devez d'abord trouver la paix en vous, sinon rien n'est possible.

Dans une large mesure, ce qui arrive sur notre planète dépend de ce qui se produit aux États-Unis. En ce moment, deux mouvements coexistent dans ce pays. D'abord, sous l'égide de l'administration actuellement au pouvoir à Washington, la presque totalité de l'inconscience est en voie de faire surface. La situation est semblable à celle qui prévalait dans les années 1960, au moment de la guerre du Vietnam. C'était la première fois que la guerre dans toute sa folie pénétrait vraiment chez les gens, en envahissant leur salle de séjour par l'entremise de la télévision. En Amérique, à cette époque, de nombreuses personnes ont commencé à comprendre la démence de cet état de conscience collectif et ont entrepris de se dissocier de l'identité de groupe. Cette démarche a créé une ouverture qui a encouragé l'exploration de l'ensemble des vérités spirituelles orientales. Les gens sont soudainement devenus réceptifs à ces idées et un grand nombre de vérités spirituelles ont commencé à être véhiculées, comme on l'a vu avec le mouvement hippie. Tous étaient en mesure de constater à quel point les vieux schémas étaient en grande partie insensés.

Aujourd'hui, l'histoire se répète ; nous assistons au même phénomène. Nous avons donc, d'un côté, l'insanité de la politique et de l'ego, la guerre, et la personnalité collective qui se nourrit de la négativité projetée quotidiennement sur nos écrans de télévision et par l'ensemble des médias.

D'un autre côté, nous assistons à l'éveil spirituel d'une foule de gens, et leur nombre ne cessera d'augmenter à mesure qu'ils constateront la folie qui règne, grâce à ce que leur renvoie leur petit écran. C'est magnifique.

Il est fort probable que nos ancêtres éloignés étaient beaucoup plus intimement connectés à la vie que nous le sommes aujourd'hui. Les animaux possèdent ce lien inné avec la vie et l'existence : ils ne créent pas un monde de problèmes et ne détruisent pas la planète. On voit comment un chien vit, à quel point son amour est inconditionnel et combien il célèbre la vie. Quand un chien joue, il exprime totalement sa joie de vivre. Les animaux ont une connexion beaucoup plus profonde que nous avec la vie. Peut-être y a-t-il eu une époque où les êtres humains possédaient eux aussi cette connexion. Ils ne s'étaient pas encore séparés de la vie comme la plupart le font maintenant.

Presque toutes les anciennes cultures entretiennent un mythe de l'âge d'or. On en parle dans les premières pages de la Bible comme d'un temps où les humains vivaient en harmonie. L'Inde a, elle aussi, une époque appelée «l'âge d'or». Tant de cultures entretiennent ce mythe qu'il présente à coup sûr une part de vérité. Il y a certainement eu une époque où les humains vivaient dans un état de conscience plus paisible. Mais il semble tout aussi probable que cet état de conscience leur ait été naturel, puisqu'ils ne connaissaient aucune autre époque, ni aucune autre façon de vivre. Ils vivaient simplement ainsi, comme les animaux et les végétaux, sans en être réellement conscients.

Les humains étaient destinés à oublier leur connexion et à presque se perdre, pour finalement retrouver ce qu'ils ont perdu, au moment opportun. Quand on retrouve quelque chose qu'on a perdu, on se le réapproprie plus profondément et avec une conscience plus grande. Nous pouvons donc retrouver notre état de communion paisible avec la vie, mais pas comme si nous retournions à ce que nous avons déjà vécu : ce sera plus profond. C'est notre destin.

LES SECRETS DU PASSÉ

Alberto Villoldo

Mon premier souvenir précis remonte à l'âge de deux ans, au moment où j'ai vécu une expérience de mort imminente. J'ai été victime d'un empoisonnement du sang qui a nécessité une transfusion sanguine massive. Ce fut très difficile, car je suis né à Cuba, pays en voie de développement où il n'y avait pas de banque de sang.

Pendant qu'on me soignait, je me souviens d'avoir observé mon corps ; je me tenais près du plafond, en compagnie de créatures que j'ai cru être des anges, ce qui était le cas. Ils étaient très réconfortants. J'ai songé qu'en dépit de la très grande souffrance, je devais retourner dans mon petit corps. Les anges sont restés avec moi pour me consoler.

Alors que j'étais en dehors de mon corps, je me suis rappelé qui j'étais avant de naître. J'ai compris que j'avais occupé plusieurs corps et vécu plusieurs vies, mais que je n'étais ni ces corps, ni ces vies, malgré la présence de cette essence qui était moi.

Chaque fois que je retombais dans mon petit corps, j'oubliais tout, mais j'en gardais la nostalgie. Dès que je ressortais, le souvenir me revenait clairement et j'éprouvais alors de la réticence à retourner dans mon corps.

Quand j'ai finalement réintégré mon corps pour de bon, j'ai évidemment poursuivi ma vie d'enfant de deux ans. Mais très tôt, j'ai perdu la peur de mourir.

Michael Neill

Une quête spirituelle peut commencer n'importe où, n'importe quand.

Bien que j'aie vécu plusieurs expériences qui ont contribué à nourrir le sentiment profond de la présence de l'Esprit dans ma vie, la première et, d'une certaine façon, la plus importante d'entre elles s'est produite dans des circonstances plutôt improbables : j'étais sur scène où je participais à une production théâtrale jeunesse de la comédie musicale *West Side Story.*

J'avais 15 ans et je jouais Pepe, un des membres du gang portoricain. Comme nous jouions depuis quelques semaines, nous commencions à nous sentir à l'aise dans nos rôles. C'était exigeant, très amusant et relativement sans incidents.

Assez tôt dans l'histoire, il y avait un épisode musical intitulé *The Dance at the Gym.* C'était la première occasion pour nous, Portoricains, de montrer de quel bois nous nous chauffions. La chorégraphie était suggestive, bruyante et très latine : nous lancions beaucoup de « ay caramba ! » et de « chee chee chee » et poussions quantité d'autres cris, ce que notre bande de jeunes Blancs d'une petite ville imaginaient comme les expressions de choix d'un gang portoricain.

C'était ma scène préférée, et, ce soir-là, nous étions vraiment pris par le jeu. Nous avons dansé jusqu'à être trempés de sueur : les projecteurs étaient brûlants, les filles étaient brûlantes, la musique était brûlante et on aurait dit que le théâtre lui-même était en train de flamber. Pris par la passion et emportés par des émotions incroyablement intenses, nous avons entamé la scène intitulée *The Rumble*.

Nous l'avions déjà jouée des douzaines de fois : les Américains nous raillent, nous les raillons à notre tour ; nous nous lançons ensuite dans une chorégraphie passablement machiste, cette fois avec des couteaux à cran d'arrêt, et, pour finir, Bernardo poignarde Riff et tout le monde détale en vitesse. Sauf que ce soir-là, quelque chose s'est produit.

Un des membres du gang américain, un grand blond baraqué nommé Snowball, me dévisage et commence à me crier des « ay caramba » et des « chee chee chee », en se moquant de notre façon de danser dans la scène précédente. Et, soudain, de brûlant, je deviens absolument furieux. Je ne joue plus, ce n'est plus du théâtre : je suis dans une colère noire.

Je ne sais pas si on vous a déjà insulté à cause de votre ethnie, de la couleur de votre peau ou de votre religion, mais je voulais tuer ce type. J'étais fou de rage alors que nous étions en plein milieu d'une pièce de théâtre.

Heureusement, juste au moment où je me dirigeais vers lui, une partie de moi a quitté mon corps. Observant ce qui se passait, elle a pensé : « *Tiens, c'est intéressant... Tu n'es pas vraiment Portoricain. Tu ne fais que jouer un rôle. Mais ta colère, elle, a l'air vraie. Hmmm...*

» *Tu sais déjà que tu n'es pas ton corps, a poursuivi cette partie de mon être. Après tout, tu peux entièrement transformer ton allure avec un costume et du maquillage. Tu n'es pas ton accent non plus et tu n'es certainement pas ta personnalité. C'est d'ailleurs pourquoi tu aimes tant jouer un rôle : cela te donne l'occasion d'essayer différentes personnalités et de t'en défaire sans subir les conséquences d'avoir à les endosser pour vrai.»*

Entre-temps, comme la pièce continuait, mon corps a suivi le mouvement et s'est mis à interpréter la chorégraphie qu'il avait dansée des centaines de fois auparavant en répétition et lors des représentations précédentes. La partie de moi qui observait la scène de l'extérieur a poursuivi sa réflexion.

«Apparemment, si tu peux "te faire croire" quelque chose assez longtemps (par exemple que tu es Portoricain), tu peux même changer ce que tu considères comme sacré. Sinon, tu n'aurais jamais été insulté parce qu'on se moque du fait que tu es Portoricain. (Regardons les choses en face : si on te traite de "thon stupide" et que tu n'en es pas un, tu ne te sentiras pas personnellement visé.)

» Alors, si tu n'es pas ton corps, si tu n'es pas tes émotions, si tu n'es pas ta personnalité, ni ce que tu considères comme important, qui ou qu'est-ce que tu es ?»

Aussitôt après avoir posé la question, cette partie curieuse de mon être a replongé dans mon corps, et ma longue quête continue et enrichissante pour obtenir des réponses sur la vie, l'Univers et tout le reste a commencé…

Becky Walsh

C'est quand les gens m'ont trouvée étrange que j'ai compris que mes facultés psychiques étaient très développées. Comme je ne connaissais rien d'autre, je ne voyais pas ce qu'il y avait de bizarre à posséder de telles habiletés : en fait, je croyais que tout le monde était comme moi.

Le souvenir le plus marquant que je garde à ce sujet remonte à l'époque où j'avais environ sept ans. Invitée à dormir chez une amie, je me suis rendu compte que sa mère était bouleversée et qu'elle s'inquiétait à propos de son mariage. Pendant qu'elle faisait la vaisselle, j'ai entrepris de lui parler et j'ai commencé à canaliser de l'information – c'est ainsi qu'on définit le fait de se connecter à une source supérieure – et à lui donner des conseils.

Elle n'a rien dit. Elle m'a juste fait enfiler mon manteau – j'étais en pyjama – et elle m'a ramenée à la maison. Arrivée là, elle a dit à ma mère qu'elle ne voulait plus que je joue avec sa fille parce que «je lui donnais la chair de poule».

J'ai alors compris qu'il est souvent préférable de ne rien dire. Par la suite, j'ai cessé d'utiliser mes facultés psychiques jusqu'à ce que j'entre au lycée. Comme les salles de classe se trouvaient dans différents pavillons, je me servais de mes facultés pour découvrir où étaient les garçons pour lesquels j'avais le béguin !

Fiona Harrold

J'aime aider les gens à améliorer leur vie. Je pratique l'accompagnement de vie depuis près de vingt ans, mais comme mon père était un obsédé de la culture personnelle, je le fais probablement depuis toujours. Papa était un démarcheur et, comme tout brillant vendeur, un psychologue amateur. Il aimait philosopher sur les techniques de vente, et sur la manière d'inspirer les gens et de les motiver.

À ce sujet, voici l'un de mes plus vieux souvenirs : j'ai 10 ans et je suis assise à côté de papa. Nous roulons en voiture dans le nord de l'Irlande, un soir d'été, et nous faisons monter les autostoppeurs que nous croisons pour les conduire à destination. Ces derniers ne savent évidemment pas qu'ils nous servent de cobayes. Nous leur posons des questions pour en apprendre un peu plus sur eux et surtout, pour connaître leur façon de voir la vie, leur point de vue sur leur existence.

Une fois que nous les avons déposés, papa et moi discutons des raisons qui ont fait d'eux ce qu'ils sont et contribué à façonner leur vie. Nous établissons les liens entre leurs pensées et leurs croyances, et le genre de vie qu'ils se sont créé, puis nous faisons des prédictions quant à leur avenir, avec une exactitude probablement étonnante !

Jayne Wallace

Balance ascendant Gémeaux

J'avais environ cinq ou six ans au moment de ma première expérience spirituelle. J'ai été tirée de mon sommeil par une dame mince aux profonds yeux bruns et à la longue chevelure brun foncé. Je me sentais rassurée, car, d'une certaine façon, je savais qu'elle n'était plus de ce monde. Je me sentais en sécurité et en paix, comme si elle était là pour me protéger. Elle était merveilleusement belle : son visage était plein de bonté et elle était enveloppée d'une lumière orange.

Elle a murmuré : « Sois forte. »

Au début, j'ai pensé qu'il s'agissait de ma grand-mère, car c'était la seule femme décédée que je connaissais. Mais la dame était trop jeune. J'ai parlé de cette rencontre à ma mère qui m'a expliqué que j'étais privilégiée d'avoir reçu la visite de la dame. Elle a ajouté qu'à son avis, il s'agissait de mon ange gardien (une vérité qui m'a été confirmée plus tard par une médium, quand j'ai été plus éveillée).

J'ai appelé la dame Star (étoile), car elle me guidait quand j'avais besoin de force et d'inspiration. Elle me rendait souvent visite quand j'étais enfant ; elle était un peu comme ma meilleure amie. Elle m'a instruite sur les gens et leur vie, m'enseignant à voir leur aura et m'aidant à faire le lien avec les émotions qu'ils vivaient. J'ai commencé à percevoir la souffrance des autres, sur le plan émotionnel et psychique, et à leur transmettre des paroles d'aide et de réconfort.

Je sentais que la dame me transmettait des messages à propos de ma vie : elle me rassurait continuellement au sujet de la douleur et de la souffrance que j'aurais à affronter plus tard.

Entre-temps, ma mère, de qui je tiens mes facultés psychiques, me faisait connaître le monde merveilleux du spiritisme et m'encourageait à développer mon don, que je continue à utiliser avec plaisir et à développer chaque jour, ce que j'espère continuer à faire jusqu'à ce que je sois devenue une vieille dame.

Lorsque j'ai eu 12 ans, Star est venue me voir en rêve. Elle m'a dit tout bas : « Aujourd'hui, tu dois affronter tout ce pour quoi je t'ai préparée. »

Soudain, je me suis réveillée, en proie à une souffrance intolérable. J'étais terriblement effrayée, et je me suis mise à crier et à pleurer. Je ne savais pas ce qui m'arrivait. Je n'avais jamais imaginé qu'on puisse avoir mal à ce point. J'avais la sensation que ma jambe droite était en train d'être arrachée de ma hanche. J'étais incapable de marcher. Personne n'aurait pu me préparer à ce qui allait suivre.

Mes parents m'ont conduite de toute urgence à l'hôpital. J'ai été mise en traction pendant deux semaines. Au bout d'un moment, on m'a diagnostiqué une polyarthrite juvénile, après que ma mère eut suggéré qu'on me fasse passer un test pour cette maladie. Je suis revenue à la maison en état de choc. J'avais l'impression que ma vie venait de s'arrêter.

J'ai passé les quatre années suivantes dans un état de profonde dépression, à me faire examiner et ausculter d'un hôpital à l'autre. J'avais le sentiment que Star m'avait laissé tomber. Je l'ai mise de côté et j'ai perdu la foi dans les énergies supérieures.

Star m'est à nouveau apparue un peu avant mon mariage à l'âge de 17 ans. Elle m'a dit de réfléchir avant de m'engager. Je ne l'ai pas écoutée et je me suis mariée. Elle avait raison de me mettre en garde : mon union a duré deux ans.

Aussi, quand elle est venue me rendre visite pour me dire que j'allais faire un voyage magnifique et qu'il serait bon que je déménage à l'étranger, je n'ai pas eu d'autre choix que de lui faire confiance et de partir. À l'âge de 19 ans, je suis partie pour Ténériffe afin de voir où Star allait m'emmener.

Dès que j'ai quitté le Royaume-Uni, Star et moi avons été de nouveau ensemble. Elle m'a aidée à renouer avec mon esprit libre, qui vit profondément à l'intérieur de chacun de nous. Elle m'a montré comment profiter de la vie et m'a insufflé la confiance nécessaire pour sortir de la prison intérieure où je m'étais terrée si longtemps. Depuis ce temps, j'écoute ce que Star a à me dire, et ma vie est passée de la souffrance à la perfection.

• •

Barefoot Doctor

Q. *Possession favorite ?*

R. Je ne m'attache plus aux choses dans la vie, peu importe sur quel plan. Comme nos préférences changent selon les circonstances, tout est relatif. Quand il fait froid et sombre, notre possession favorite est notre domicile ; quand nous voulons nous rendre quelque part, c'est notre voiture. Cela dit, un des objets que je chéris le plus est le stylo-plume en or de R. D. Laing, mon mentor et ami aujourd'hui décédé. Il s'en est servi pour écrire la plupart de ses ouvrages, en particulier *La politique de l'expérience*, un livre qui a transformé ma vie du tout au tout à l'époque et m'a poussé à rencontrer R. D. Laing et à étudier avec lui, ce qui m'a ensuite conduit à faire tout ce que j'ai fait depuis.

Q. *Premier souvenir ?*

R. Comme j'ai étudié l'hypnothérapie, je me suis servi de cette technique pour faire un travail complet de régression : je me souviens donc de la fertilisation de l'ovule de ma mère par le sperme de mon père, de la mitose des cellules et de mon développement à l'intérieur de l'utérus. Je me rappelle avec précision avoir exploré les limites de l'utérus, avoir senti ma tête compressée par la filière pelvigénitale, m'être retrouvé dans une pièce froide, la tête en bas, et avoir reçu un coup sur les fesses qui m'a fait inspirer pour la première fois et me mettre à pleurer. Dans le souvenir suivant, je suis dans mon berceau, affamé et à moitié mort d'ennui.

Alicen Geddes-Ward

J'ai passablement de souvenirs de l'époque où j'avais environ deux ans, mais je ne sais pas lequel vient en *premier.* Par contre, je me souviens d'un événement qui est certainement le souvenir le plus clair que je garde à l'esprit et l'expérience la plus intense pour mon âge d'alors...

Je suis à la maison avec ma mère et je « l'aide » à épousseter dans l'une des chambres à coucher. Je me souviens que nous bavardons, que la journée est très sombre et qu'il pleut. Incapable d'atteindre le rebord de la fenêtre avec le chiffon à poussière, je grimpe sur le lit pour y arriver, mais je glisse entre celui-ci et celui qui se trouve juste à côté. J'ai l'impression de tomber à n'en plus finir, comme Alice au Pays des merveilles, et d'aboutir dans un autre monde, un endroit qui n'est pas de *ce* monde. Je ne me souviens de rien d'autre, excepté que j'ai été partie pendant un long moment, qui a duré anormalement longtemps. Je *savais* que je venais de visiter un autre endroit, un lieu qui n'appartenait pas à notre réalité.

J'entends alors ma mère me demander si ça va : levant les yeux, je me relève et remonte dans la réalité, dans cette chambre à coucher où tout est familier. Tournant la tête vers ma mère, je sens naître de la confusion en moi. Ensuite, je pense que je me suis mise à pleurer de soulagement de me retrouver avec elle. Même si je n'avais que deux ans, cet épisode m'a profondément marquée. Je savais qu'il était significatif et *anormal.* Je n'ai jamais raconté ce qui s'était passé à ma mère ; je savais instinctivement que je devais garder cette expérience pour moi, car autrement, j'aurais été tournée en ridicule.

Bien que j'aie paru glisser entre deux lits, je crois qu'en fait, j'ai peut-être glissé entre deux mondes. Je ne le savais pas à l'époque, mais aujourd'hui, je connais les *traditions de l'intervalle*, et je sais qu'on peut trouver, accidentellement ou volontairement, la porte du pays des fées ou le passage vers les autres mondes.

• •

Adam Fronteras

Poissons ascendant Lion, Lune en Gémeaux

J'ai été très malade durant mon enfance : comme je souffrais d'asthme, j'ai passé beaucoup de temps dans les hôpitaux du Devon et de Cornwall, comtés où j'ai grandi. Quand j'ai eu environ six ans, mes parents ont remarqué que j'avais tendance à leur dire si les patients occupant les lits près du mien guériraient.

J'ai commencé à m'intéresser au paranormal à huit ans ; deux ans plus tard, mes parents m'ont donné mon premier jeu de tarot. Ils ne savaient pas du tout ce qu'ils avaient acheté, croyant qu'il s'agissait d'une variante du bridge ou de la canasta. En fait, c'était un jeu du traditionnel tarot de Marseille, dont les arcanes mineurs ne comportent pas d'illustration. Le lendemain, je connaissais par cœur la signification de toutes les cartes.

Le jour suivant, en arrivant à l'hôpital de Great Ormond Street , mes parents ont entendu le personnel espagnol chargé de l'entretien ménager raconter que j'avais «l'œil» ou un don pour les cartes. Quand ils sont entrés dans la salle où j'étais hospitalisé, ils m'ont trouvé entouré d'infirmières, en train de leur lire les cartes.

Au fil des années, j'ai collectionné les jeux de tarot et, aujourd'hui, j'en possède plus de 200, dont certains assez rares. Je m'intéresse depuis des années à l'histoire du développement du tarot. Beaucoup de ce qui a été écrit à ce sujet est faux, inventé ou même pure spéculation.

À mon avis, les illustrations du tarot font partie de notre inconscient collectif, et même si l'origine de ce jeu ne remonte pas au-delà du Moyen-Âge, les images fondamentales qui ornent les arcanes font partie de la psyché humaine depuis le début des temps. Ce qu'il y a de simple avec le tarot, c'est qu'il va directement au fond des choses.

. . . .

Sue Minns

Ayant vécu au Kenya, à Londres et en Égypte, j'exploite actuellement un petit espace dans un centre de guérison, au Brésil. J'ai écrit trois ouvrages sur la métaphysique et la quête spirituelle, sujets que j'étudie depuis le plus longtemps que je me souvienne. Je suis absolument passionnée par mon travail qui porte principalement sur la régression dans les vies antérieures.

Aujourd'hui, nous n'avons plus le temps de consacrer des années à une analyse, qui s'avère superflue, à mon avis, quand on chemine sur une voie spirituelle. Selon moi, la régression dans les vies antérieures, ou libération des mémoires cellulaires, a toujours été un outil puissant et autonomisant pour les personnes à la recherche du Soi. Non seulement ce type de traitement peut-il nous libérer de schémas, de relations, de peurs, de phobies et quelquefois de symptômes physiques paralysants, mais il peut également nous permettre de prendre conscience et d'intégrer que nous sommes des âmes vivant des expériences humaines. Issus des drames de nos vies précédentes, nos dossiers non résolus – notre karma – créent dans notre existence actuelle les situations, les mentalités ainsi que les rencontres particulières que nous faisons.

Une partie du marché que l'âme accepte en s'incarnant dans sa présente forme consiste à oublier les détails de ses expériences passées. Comme s'ils étaient stockés dans nos sites Web personnels, ces détails sont conservés jusqu'à ce que les dossiers non résolus soient finalisés ou édités par l'opérateur d'ordinateur actuel. Nous possédons toujours des indices de ce dont nous devons nous souvenir et de ce qui doit être affronté, guéri ou libéré. Ils sont toujours autour de nous.

Chaque fois que vous commencez une phrase en disant «je ne sais pas pourquoi, mais… je n'ai confiance en personne ; j'adore les drames victoriens ; j'ai la phobie des hauteurs ; je n'ose parler de mes croyances», vous avez la clé d'une histoire occulte. Cette tache de naissance, cette peur du feu, ce désir de visiter la République populaire mongole, sont les liens vers votre site Web personnel, comme cette personne que vous avez le sentiment de connaître depuis toujours, alors que vous venez de la rencontrer, ou cette rencontre inattendue, si intense que vous avez l'impression d'avoir pénétré dans la ceinture d'astéroïdes : ce sont tous des liens vers certaines de vos vies antérieures.

Notre âme travaille toujours à nous éveiller de notre état de somnambule et tente constamment de nous libérer de la gangue en ciment de nos conditionnements tribaux. Nous sommes des esprits libres vivant un état d'amnésie depuis plus de deux mille ans!

Quand tout va de mal en pis, quand les méditations, les pratiques spirituelles, les lectures de tarot et les séances de guérison avec les cristaux ne vous apportent plus aucun répit, souvenez-vous que le ciel est toujours bleu derrière les nuées de l'orage et de la tornade, et qu'il y a toujours une raison à tout ce qui nous arrive, même si elle ne nous apparaît pas clairement quand nous sommes en pleine tourmente.

Nous sommes au beau milieu d'un grand solde de débarras karmique qui nous conduit à l'endroit où l'âme libérée prend son essor sur les ailes du cœur.

• •

Leon Nacson

Q. *Qui étiez-vous, dans une vie antérieure?*

R. Je crois qu'il s'agit bien plus de *ce que* nous étions que de *qui* nous étions dans une vie passée. Ai-je été un Égyptien au moment de l'âge d'or de cette civilisation, un Romain ayant assisté au déclin de l'empire, un Amérindien vivant dans le plus naturel des environnements? Je me suis consciemment efforcé de mettre le doigt sur un nom, une adresse et un numéro de téléphone. Je me suis concentré sur une période, une époque et une expérience. J'ai plutôt l'image d'une école secondaire karmique : ce sont les expériences préalables à l'obtention d'un diplôme.

Q. *Quelle a été votre expérience la plus étrange ?*

R. Marcher dans une rue de Rome et m'asseoir sur une pierre dans un antique temple égyptien : dans les deux cas, j'ai eu le sentiment que ce n'était pas la première fois que je me trouvais là. Je me sentais euphorique, et ce qui m'entourait me semblait familier, même si mon passeport affirmait que c'était la première fois que je visitais ces endroits !

• •

Kate West

Je suis un Gémeaux assez typique, mais je constate que je suis particulièrement en harmonie avec les phases de la Lune : elle influence mon niveau d'énergie, mes états d'âme et, bien entendu, ma pratique de la sorcellerie. Depuis l'adolescence, j'ai toujours aimé admirer la Lune et, quand elle est pleine, me baigner dans son rayonnement.

Mes premiers souvenirs touchent la possibilité que j'ai eue de vivre dans une liberté presque totale. Ma mère étant gardienne à domicile, nous habitions le vaste domaine d'une vieille dame. J'ai eu la chance d'observer renards et autres animaux sauvages dans leur habitat naturel, et d'apprendre la marche de la nature en vivant en harmonie avec elle. Grâce à la propriétaire du domaine, j'ai appris certaines choses qui, je le sais aujourd'hui, sont une partie importante de l'art traditionnel de la sorcellerie, par exemple, savoir qu'il y a un « Au-delà » et apprendre à le percevoir, et connaître les phases ascendantes et descendantes des énergies qui accompagnent la croissance et la décroissance de la lunaison.

J'ai le souvenir de longs étés magnifiques et d'hivers où une épaisse couche de neige s'amoncelait autour des arbres et de la maison. Comme nous vivions près de la nature, nous semions, cultivions et récoltions nos propres légumes, recueillions les œufs de nos poules, et choisissions même nos volailles pour les faire cuire. Je me trouve incroyablement chanceuse d'avoir été initiée si jeune aux cycles naturels de la vie.

Mandy Masters

Quand j'avais cinq ou six ans, chaque fois que je me sentais anxieuse ou inquiète, j'entendais une voix me dire : « Tu vas bien aller. Tout le monde va bien aller, parce que tu es là. »

Cette voix me rassurait, mais je ne me suis jamais demandé d'où elle venait.

À l'âge de 14 ans, j'ai été à Lourdes où j'ai vécu des expériences encore plus étranges. Ma mère avait fait en sorte que ma sœur cadette et moi nous rendions en pèlerinage là-bas avec un organisme de bienfaisance qui y emmenait des personnes handicapées afin qu'elles puissent se plonger dans les bains sacrés.

Une nuit, ma sœur et moi étions ensemble dans la chambre à coucher qui comportait une porte-fenêtre. Soudain, la porte s'est ouverte à la volée et j'ai cru voir une religieuse sans visage entrer en flottant dans la pièce. J'ai hurlé pour réveiller ma sœur : «S'il te plaît, allume la lumière! Il y a quelqu'un dans la chambre.»

Or, quand elle a allumé, il n'y avait personne. C'était effrayant.

Le jour suivant, je me suis rendue seule à la fontaine sacrée de la Grotte de Massabeille, là où sainte Bernadette a vu la Vierge Marie en 1958.

Tout d'un coup, je me suis sentie très étrange. Cela semblera fou, mais, tandis que je regardais dans l'eau, un gros poisson est apparu et m'a parlé. Je ne me souviens pas de ses paroles, mais je sais que les choses ont changé à partir de là. De plus, mon immersion dans la source sacrée a guéri une éruption cutanée que j'avais attrapée de mon cheval. Tout cela était incroyable.

J'ai compris ce jour-là que j'étais spéciale. Je sais que je suis différente, car je suis née sans bras, mais j'ai pressenti que ma différence dépasserait mon handicap. À cette époque, par contre, comme j'étais adolescente, j'ai pensé que je devenais folle. Je souhaiterais aujourd'hui avoir fait plus attention, avoir commencé à lire le tarot, à apprendre la médiumnité et à la pratiquer dès cet instant.

C'est étrange, parce que chaque fois qu'on me fait une lecture, on me dit voir une religieuse debout derrière moi. Je ne parle jamais d'elle, mais on sait qu'elle est là. Lors d'une consultation, j'ai demandé à la dame roumaine qui me recevait si la religieuse avait un nom.

« Marie », a-t-elle répondu.

Je me suis exclamée : « Quoi, *cette Marie-là* ? »

Elle a acquiescé : « Oui, et elle était avec vous, au moment de votre naissance. »

. . . .

Judi James

J'ai toujours été très perceptive sur le plan visuel, et ce, pour deux raisons : d'abord, je suis enfant unique, plus « observatrice » que participante, et ensuite, je suis et j'ai toujours été extrêmement timide. Enfant, je suçais intensément mon pouce et j'étais beaucoup plus heureuse de rester assise à observer en silence qu'à parler.

Le point tournant de ma carrière est survenu il y a plusieurs années, quand j'ai assisté à la conférence d'une femme qui avait vécu de nombreux drames. Elle aurait dû inciter la chaleur et la pitié, mais le public ressentait plutôt une profonde antipathie à son égard. Je me suis questionnée pendant des mois sur ce paradoxe avant d'être capable de l'assigner au langage corporel de la conférencière. Quelque chose dans sa façon de se tenir la faisait paraître arrogante. Même si elle passait inaperçue, son attitude affectait inconsciemment le public et prenait le dessus sur la pitié. C'était horrible, mais cela m'a fait comprendre l'impact de nos signaux non verbaux.

David Wells

Q. *Signe astrologique et autres influences planétaires?*

R. Soleil en Gémeaux, Lune en Sagittaire, ascendant Scorpion avec Neptune comme ascendant conjoint.

Q. *Premier souvenir?*

R. Regarder ma mère dans les yeux au moment de ma naissance. Cette image très précise m'est venue durant une régression dans une vie antérieure qui s'est transformée en progression, tandis que je revivais mon incarnation dans ma vie actuelle. C'était une expérience magique que je n'ai jamais oubliée. Non seulement ai-je vu ma mère, mais j'ai aussi vu ce qui arrive juste avant l'incarnation; je ne vous révélerai toutefois pas de quoi il s'agit : vous devrez le découvrir par vous-même un jour.

Q. *Possession favorite, et pourquoi?*

R. La montre de mon père. Il est décédé récemment et même si nous étions proches, je ne lui ai pas assez dit que je l'aimais. Maintenant, quand je tiens sa montre dans ma main, je me sens près de lui. Bien des gens pensent qu'en raison de mon travail, il m'est plus facile d'accepter le deuil, mais ce n'est pas le cas. Je crois que nous nous contentons de le gérer d'une autre manière.

Il est tellement important de dire ce qu'on ressent quand on le ressent et de le répéter.

Q. *Histoire de votre guide spirituel?*

R. Mon guide est un Amérindien ; or, je voulais un plombier ou un maçon ! Au début, quand il s'est présenté, je ne l'ai pas accepté du tout, et je pense qu'il a trouvé que je représentais tout un défi. Mais nous avons travaillé à notre relation, et c'est au moment où je l'ai reconnu, alors que j'étais son épouse dans une autre vie, que j'ai réellement compris comment nous fonctionnons ensemble ! Comme dans tout mariage, il parle peu et je demande beaucoup.

Travaillez à tisser la relation avec votre guide : tout sera plus facile quand vous aurez réellement besoin de conseils ou que vous voudrez n'en faire qu'à votre tête !

Q. *Qui étiez-vous, dans une vie antérieure ?*

R. J'ai vu plusieurs vies où j'ai été alternativement pauvre et prince, mais, indépendamment de nos possessions physiques, l'important, c'est la façon dont nous interagissons avec autrui sur le plan émotionnel.

Q. *Décrivez une méditation guidée vous donnant accès à vos vies antérieures.*

R. Une régression peut vous conduire à beaucoup d'endroits différents et, parfois, une vie antérieure est la dernière chose qui se manifeste !

Une méditation facile consiste à imaginer que vous vous promenez dans une forêt.

Servez-vous de tous vos sens : en plus de l'imaginer, voyez-la, sentez-la, touchez-la, entendez-la et goûtez-la.

Promenez-vous dans la forêt jusqu'à ce que vous rencontriez un animal, votre guide animal.

Suivez-le jusqu'à un portail d'argent.

Passez le seuil et pénétrez à l'intérieur du tronc d'un vieux chêne. Asseyez-vous là un moment et attendez de voir qui apparaît – ou non.

Ensuite, déplacez-vous vers le fond : vous y trouverez un autre portail, de bronze, cette fois.

Attendez que le portail s'ouvre, et là, pénétrez dans un corridor rempli d'artéfacts de vos vies antérieures. Regardez-les et gravez-les dans votre mémoire. Puis, continuez d'avancer dans le corridor jusqu'à ce que vous arriviez à un portail d'or.

Passez le portail : vous vous retrouverez dans un brouillard qui se dissipera pour vous montrer l'incarnation que votre âme aura choisi de vous faire connaître. Faites-en l'expérience à mesure qu'elle se déroule devant vous. Quand vous êtes prêt, revenez sur vos pas et ramenez votre conscience au moment présent.

Parfois, vous rencontrerez des guides, et parfois, vous verrez d'autres créatures magiques : contentez-vous d'accueillir ce qui vient et n'analysez rien !

C'est selon moi le truc essentiel en méditation : *n'analysez rien* quand vous y êtes. Vous pourrez – et devriez – passer à cette étape plus tard.

LES SECRETS DU PRÉSENT

Tracy Higgs

Les miracles de la méditation

Lors de ma première participation à un cercle d'épanouissement des facultés psychiques, j'ai eu l'impression de porter la barbe et un chapeau, une fois terminée la méditation d'ouverture. L'animateur m'a expliqué qu'il s'agissait de mon guide spirituel, venu me rendre visite. Mais ma cousine, que j'avais suppliée de m'accompagner étant donné que je m'attendais presque à me retrouver avec des gens affublés de longues robes étranges, a refusé de me reconduire à la maison tant que je ressemblerais à un homme !

En matière de méditation, les novices pourront être freinés par l'idée que leur esprit doit devenir complètement et instantanément vide, ce qui n'est pas du tout le cas. Pour se détendre et atteindre un état de conscience modifiée, le conscient semble avoir besoin de passer à travers certaines étapes, avant de se calmer et de laisser le subconscient prendre les rênes. Quand on empêche le processus de suivre son cours, on arrête de méditer en ayant le sentiment d'avoir échoué. Mais il faut permettre au conscient de traiter toutes ses pensées jusqu'aux dernières, comme : « *Est-ce que j'ai bien débranché le fer à repasser ?* ».

Si vous méditez simplement pour communier avec le monde spirituel, je vous conseille de vous réclamer du pouvoir de l'esprit.

Pour ce faire, asseyez-vous confortablement, puis inspirez et expirez par le nez.

Visualisez devant vous une colonne de lumière blanche; imaginez que vous pénétrez à l'intérieur de celle-ci et qu'elle emplit toutes les parties de votre être.

Visualisez l'expansion de votre champ aurique, un peu comme un ballon qui gonfle, et voyez-le s'étendre jusqu'à ce qu'il touche tous les coins de la pièce où vous vous trouvez.

Votre intention étant de communier avec l'invisible, ses habitants en seront conscients.

Invitez-les donc silencieusement à s'avancer, et contentez-vous d'être avec eux, sans attentes.

Cet exercice contribue à renforcer votre pouvoir intérieur; il vous amène à sentir les changements dans l'énergie environnante, ce qui vous permet de percevoir clairement quand un esprit se joint à vous. Il facilite également la communication – autant l'émission que la réception – et augmente votre taux vibratoire.

J'ai grandi avec l'adage bien connu selon lequel le monde sourit à celui qui sourit, mais délaisse celui qui pleure. Depuis que j'ai développé mes dons spirituels, j'ai compris que l'adage était faux. Bien sûr, quand je souris, les gens sourient avec moi, mais je ne suis jamais seule quand je pleure. Chaque jour, je perçois l'invisible, non seulement physiquement, mais aussi grâce aux signes qui me sont envoyés en réponse aux questions que je pose. Je sais qu'on prend soin de chacun de nous.

Perry Wood

La pratique régulière de la méditation comporte de nombreux avantages, car celle-ci possède un grand pouvoir de guérison. Elle aide à affronter le changement, les traumatismes et les difficultés de la vie, et nous remet en contact avec la puissance de l'Univers. En méditant, vous savez que vous n'êtes pas seul, qu'il y a à l'extérieur de vous une puissance supérieure à l'œuvre en votre faveur. En reprenant contact avec l'Univers, vous savez que vous êtes réellement aidé dans l'accomplissement de votre destinée. La recherche a prouvé que la pratique régulière de la méditation réduit la pression artérielle, améliore les cycles du sommeil et exerce une influence bénéfique sur toutes sortes de maladies. La méditation diminue le stress, précurseur de la plupart des maladies, et peut également améliorer vos relations personnelles et professionnelles.

Que vous croyiez à une déité en particulier ou à une puissance qui vous guide, si votre Dieu ou votre Soi supérieur veut s'adresser à vous, vous devez être en mesure de l'écouter; or, la méditation vous aide à créer l'espace pour ce faire. En plus de rapporter que la pratique quotidienne de la méditation a contribué à affiner leur intuition, plusieurs personnes affirment qu'elle est à la source d'expériences spirituelles et de rêves marquants. Si vous ne pouvez consacrer une demi-heure à la méditation, une pratique régulière de cinq minutes s'avérera néanmoins inestimable pour vous recentrer.

Découvrez les éléments qui favorisent votre méditation : écoutez de la musique relaxante, concentrez-vous sur votre respiration, fixez des yeux la flamme d'une chandelle, imaginez quelque chose de paisible, ou détendez toutes les parties de votre corps, de la tête aux pieds. Pour ma part, je pratique le kriya yoga, forme puissante de méditation indienne introduite en Occident par Paramahansa Yogananda, auteur du célèbre ouvrage *Autobiographie d'un yogi.*

Mes chevaux sont ma plus grande source d'inspiration. Ce sont d'excellents enseignants et de merveilleux miroirs. Ils me reflètent constamment ce que je communique extérieurement et intérieurement avec mes pensées, mes croyances et mes émotions. Ils m'ont enseigné à chuchoter à l'oreille des gens. J'aime leur façon d'être honnêtes et clairs avec moi : ils m'incitent constamment à suivre leur exemple avec moi-même, avec eux et avec les gens.

L'un de mes lieux favoris pour retrouver la paix et me ressourcer est Findhorn, sur le liman Moray, en Écosse. Dès le matin, j'aime me rendre au sanctuaire naturel pour me joindre aux chants sacrés de Taizé et communier spirituellement avec les autres participants, en commençant ma journée par la reconnaissance du spirituel. Je vais ensuite marcher à travers les dunes jusqu'à la plage de Findhorn, où les eaux glaciales de la mer du Nord déferlent sur une magnifique plage sablonneuse et où on voit souvent des phoques pêcher et s'amuser près du rivage.

Leon Nacson

Faites en sorte de méditer sans effort. Dans mon cas, rien ne fonctionne si je me dis que c'est le temps de méditer ou que je dois me dépêcher parce que je n'ai pas encore médité aujourd'hui.

Par contre, je plonge facilement dans un état méditatif quand j'imagine un lieu tranquille dans la nature et que je me vois arriver à l'orée d'une grotte de cristal inaccessible à tous, sauf moi. À l'intérieur de cette grotte se trouvent les éléments que j'ai perdus ou donnés, qui me remettent en contact avec mon passé. Quand je pénètre dans la grotte, j'ai le sens de mon présent, et à mesure que je me détends dans mon hamac suspendu entre deux palmiers, je m'évade pour explorer le monde des possibilités infinies.

• •

Fiona Harrold

J'ai appris à pratiquer la méditation transcendantale il y a plusieurs années : je fonctionne donc avec un mantra. Je la pratique depuis si longtemps que je pourrais maintenant méditer sur une corde à linge.

J'encourage mes clients à prendre l'habitude de se réserver un temps d'arrêt quotidien. Plus ils sont occupés, plus c'est important. Par contre, j'ai tendance à ne pas me servir du mot « méditation », car les gens occupés s'enfuient dès que vous le prononcez. Ils croient que c'est compliqué, qu'il faut suivre un cours ou lire un ouvrage sur le sujet, mais comment apprendront-ils, s'ils n'ont pas le temps ?

Je préfère démystifier la chose en disant simplement : «Réservez-vous dix ou quinze minutes où vous pourrez vous asseoir tranquillement, sans crainte d'être dérangé par le téléphone ou autre chose, et prenez ce moment pour vous arrêter. Contentez-vous de laisser vos pensées traverser votre esprit.»

Généralement, ce sont aussi des gens au mental très occupé : ils trouvent donc difficile de laisser leur esprit se calmer. Je les encourage toujours à garder près d'eux un stylo-bille et un bloc-notes où ils pourront griffonner les pensées tenaces ou les intuitions qui leur viennent avant de les laisser aller. Le dicton selon lequel «on peut trouver une solution à tout en s'asseyant seul dans un endroit tranquille» est vrai.

. . . .

Alla Svirinskaya

Certaines études ont conclu à l'existence d'un lien entre le processus de pensée et les mouvements oculaires. Quand nous avons une nouvelle idée, nos pupilles ont tendance à y répondre par le mouvement. Quand nous pensons, nos pupilles bougent constamment ; elles sont agitées de micromouvements d'une fréquence identique à celle de nos pensées. La recherche suggère que le lien fonctionne dans les deux sens, ce qui signifie qu'en ralentissant le mouvement de nos pupilles, nous pouvons ralentir le rythme de nos pensées.

MÉDITATION DES CAILLOUX

Pour atteindre cet effet calmant, asseyez-vous tranquille et fermez les yeux. Couvrez vos paupières d'un masque de repos parfumé à la lavande, si vous en possédez un.

Respirez profondément et imaginez deux petits cailloux très lourds placés au bas de vos pupilles.

Ces cailloux empêchent vos yeux de bouger; ceux-ci sont incapables de faire un mouvement, quel qu'il soit. Vous remarquerez rapidement un changement significatif dans le rythme de votre processus de pensée.

Cette méditation sera facilitée si vous observez l'immobilité de vos globes oculaires d'un «point très profond à l'intérieur de vous», tout en prenant conscience de votre tranquillité intérieure.

Pratiquez cette méditation dix minutes chaque jour, pendant deux semaines. À la fin de cette période, vous devriez constater une bien meilleure maîtrise sur vos pensées.

Gordon Smith

Comme je vis une existence très active, j'ai dû apprendre à méditer pour me calmer. Selon moi, la méditation est un exercice qui peut se pratiquer en mouvement, dans le cadre du fonctionnement quotidien, plutôt que d'être

réservée à un moment précis et particulier. Je crois qu'elle devrait constituer un élément de notre vie auquel nous pouvons nous adonner en tout temps, indépendamment de nos activités. Ainsi, je pourrai méditer en faisant une coupe de cheveux, simplement en étant conscient, en calmant mon esprit et en me concentrant sur ce que je fais. J'aime beaucoup le tai-chi justement parce qu'il me met en contact avec le calme intérieur.

Je pourrais difficilement définir ce qui me rend le plus heureux dans la vie, mais je ris beaucoup. Ma plus grande source de satisfaction consiste à être chez moi, à Argyle, en Écosse, et à m'asseoir pour contempler le loch Gare avec Meg et Charlie, mes deux épagneuls Springer anglais. Bizarrement, les deux sont nés le même jour, un 8 décembre, à huit ans d'intervalle. Malheureusement, Charlie est décédé l'an dernier, alors il ne reste plus que Meg et moi maintenant.

Ce qui me permet de tenir le coup dans les moments difficiles, ce sont les souvenirs des gens que j'ai rencontrés grâce à mon travail et qui ont été réellement aidés par le monde spirituel. Je sais alors que mon don de médium est réel, que je dois continuer mon travail et y croire, indépendamment de mes doutes. C'est incroyable d'être le témoin de la transformation de la vie de quelqu'un grâce à ce que vous faites. À ce jour, c'est arrivé des milliers de fois.

Les gens qui surmontent l'adversité m'inspirent énormément. Rien ne me stimule davantage que de voir une personne au bout du rouleau, en plein combat avec son âme, transformer sa vie d'un coup. Dans les moments vraiment difficiles, il est bon de se rappeler à quel point l'esprit humain peut être fort.

Nous pouvons tous imaginer comment notre monde pourrait devenir un endroit meilleur : éradiquer la peur serait un bon point de départ. Mais le monde est exactement tel qu'il doit être, et tant que nous restons centrés et voyons les choses ainsi, ce n'est pas si terrible. La seule façon d'améliorer les choses consiste à s'améliorer soi-même. Car si vous regardez les choses d'un bon œil, tout est bien.

Je n'ai pas peur de la mort, aussi ne suis-je pas effrayé à l'idée que le monde prenne fin. Cette perspective ne me trouble pas. Spirituellement, tout continue : la disparition du monde tel que nous le connaissons signalera une autre étape de l'évolution spirituelle, et le moment sera alors venu pour le monde physique de disparaître. Je sais sans l'ombre d'un doute que la vie spirituelle se poursuivra, que la vie matérielle continue ou non. En conséquence, si la vie physique passe à un degré supérieur d'évolution, c'est que les choses devront se passer ainsi. Ce n'est que l'évolution : aucune raison d'en avoir peur…

Angela Tarry

Une authentique conscience spirituelle s'épanouit en chacun de nous ; elle se manifeste par des différences dans les couleurs de l'aura. Je constate en effet de nombreux changements positifs que nous devons encourager par nos pensées, nos actions et notre comportement.

Le vert augmente dans notre aura quand nous devenons conscients de la nécessité de respecter l'environnement et tout ce qui vit sur cette planète. Les gens s'éveillent à l'énergie divine, car c'est l'essence de la nature. Il y a souvent beaucoup de vert dans l'aura des parents de bébés ou de jeunes enfants, car ils ressentent plus intensément le besoin de protéger l'avenir de la planète pour leur descendance. C'est pourquoi les thérapies alternatives, l'alimentation et l'écologie suscitent davantage d'intérêt.

Un bleu plus clair que par le passé devient aussi prévalent, à mesure que les gens s'engagent dans différentes formes de pratiques curatives. Cette nouvelle nuance suggère que nous sommes tous à la recherche de moyens précis pour nous exprimer plus honnêtement et plus ouvertement.

Le jaune dense et foncé souvent visible autour de la tête, reflet de la peur et de l'inquiétude, devient maintenant plus clair. Une lueur blanche apparaît également au sommet de l'aura : il s'agit de l'énergie spirituelle qui souhaite s'exprimer davantage. Il est important de s'y connecter en se réservant des moments de tranquillité pour respirer profondément, se détendre et envoyer des pensées à cette énergie divine qui attend d'être reconnue. L'immense intérêt pour les anges démontre bien que nous voulons tisser ce lien individuel dans le sens qui nous apparaît le plus juste pour nous.

Je vois de plus en plus un magnifique rose magenta dans l'aura des femmes et des hommes ; il indique que les deux sexes changent et évoluent. Cette couleur reflète l'énergie féminine, l'intuition et la compassion. Les femmes veulent exprimer davantage leur nature et les qualités inhérentes à la féminité. Selon moi, il faut honorer la Déesse et être une femme sage. Les hommes doivent reconnaître les qualités féminines, nourricières et inspirantes qu'ils portent en eux, et permettre que ces aspects compatissants et émotionnels soient perçus sans craindre l'embarras ou le ridicule. Il devient de plus en plus difficile pour eux de maintenir leur vieille façade machiste. Les femmes peuvent les aider en les rassurant et en leur disant qu'il n'y a rien de mal à ressentir des émotions.

À mesure que nous favorisons l'émergence et l'expression de ces nouveaux aspects de notre être, nous grandissons et contribuons à rétablir l'équilibre de l'humanité, de la nature et de la planète. En agissant ainsi sur le plan individuel, nous aidons à élever la fréquence vibratoire de la conscience collective. La pensée positive est puissante et essentielle : essayez chaque jour de trouver quelque chose qui fera chanter votre âme. Vous ressentirez un sentiment de paix et de bien-être, et ainsi, votre aura deviendra plus lumineuse et sa vibration, encore plus radieuse.

● ●

Dronma

Quand je travaille avec Gordon Smith, il se tient en retrait et me laisse d'abord établir le contact avec la conscience que je vais dessiner. Ensuite, il se connecte à cette conscience, généralement une fois que j'ai commencé le dessin.

Avant de me mettre au travail, je fais le vide dans mon esprit et j'essaie de n'avoir aucune idée préconçue. Les consciences qui se manifestent ne se montrent pas : elles me laissent ressentir leur visage pour que j'y recueille une impression. Si je les voyais avec mon œil intérieur, le travail me prendrait trop de temps, car j'observerais et je prendrais des mesures comme je le fais en tant qu'artiste.

À mesure que je dessine le visage, je sens dans mon corps la condition physique de l'être au moment de son décès ou les maladies qu'il a eues. J'ai aussi des visions vives et fugaces de choses et de lieux. J'obtiens rarement de l'information verbale comme un nom, cet aspect relevant du travail du médium avec qui je collabore. Nous n'avons rien à dire quant à l'identité de l'être qui vient nous visiter ni aucun contrôle sur la situation – c'est l'affaire de celui ou celle qui se manifeste.

Mon conseil le plus précieux en matière de méditation est le suivant : pendant un moment, concentrez-vous simplement sur votre respiration pour faire le vide dans votre esprit. Ensuite, imaginez une lumière blanche qui coule doucement du sommet de votre crâne jusqu'au chakra de votre cœur, où une fleur magnifique s'épanouit et commence à tourner sur elle-même dans le sens des aiguilles d'une montre. En tournant, elle émet par ses pétales des arcs-en-ciel qui s'éparpillent doucement à travers le monde à la recherche de gens dans le besoin.

Quand un arc-en-ciel contacte une de ces personnes, sa lumière pénètre par le sommet de la tête et descend dans le cœur. Le processus se répète jusqu'à ce que tous les êtres aient reçu bonheur et réconfort. Il s'agit là d'une forme de guérison : à mesure que les autres se sentent guéris, vous guérissez vous aussi. Et plus vous donnez, plus vous recevez.

Barefoot Doctor

Q. *Qu'est-ce qui vous rend le plus heureux ?*

R. Guider une méditation vraiment puissante en direct, dans la «chambre de méditation» de mon site où se trouvent en même temps 35 personnes de différentes parties du monde. Marcher sur la plage près de l'endroit où j'habite, un jour d'été torride, en plein milieu de mes heures de travail, et me baigner dans l'eau bleu turquoise : généralement, ça fait du bien... Pratiquer une séquence classique de tai-chi où j'en arrive à presque disparaître et où c'est le tai-chi qui me pratique. Être caressé par le regard et le sourire amoureux de mon épouse, ma Légitime Ultime.

Q. *Meilleur truc de méditation ?*

R. Mon truc est en fait un ensemble de trucs : respirez lentement, calmement et également jusqu'au plus profond de votre abdomen ; allongez votre colonne vertébrale ; laissez fondre vos muscles et vos tissus mous vers le sol ; adoucissez votre poitrine ; et déplacez votre conscience de la zone frontale, où le bruit intérieur se poursuit, au centre de votre cerveau. À partir de là, si vous avez besoin d'être guidé, j'ajouterai qu'il s'agit d'avoir la sensation de tomber à la renverse dans l'espace à la vitesse hypersonique, jusqu'à ce que vous vous sentiez attrapé par les bras du Tao, la Grande Mère de toute existence et non-existence.

Q. *Porte-bonheur secret / rituel / mantra de chance ?*

R. Offrez une bonne énergie au monde qui vous entoure, soyez généreux envers les personnes qui partagent votre vie et aussi envers les inconnus, souriez aux autres du fond de cœur, reconnaissez les gens et aidez-les à sentir qu'ils ont de la valeur. Cette énergie partira en tournée, amassera d'autres énergies amicales en cours de route et vous reviendra grandement multipliée au moment opportun. Cela équivaut à pratiquer la magie pour attirer la chance.

- -

Kate West

J'écris des méditations guidées ; ma préférée consiste en une promenade au clair de lune à travers une forêt ancienne, jusqu'à un lac où je peux rencontrer l'un des aspects de la Triple Déesse et lui parler. Je m'en sers souvent quand j'ai une question ou quand je veux m'assurer que je prends la bonne décision.

MÉDITATION POUR RENCONTRER
LA TRIPLE DÉESSE

Le texte de cette méditation peut être lu par une personne à une autre ou à un groupe. Vous pouvez également le mémoriser pour en suivre le déroulement dans votre esprit par la suite, ou l'enregistrer en parlant lentement pour pouvoir ensuite le réécouter.

Avant de commencer, faites en sorte d'être à l'aise et au chaud, et assurez-vous que vous ne serez pas dérangé. Pour vous aider à vous détendre, tamisez l'éclairage et faites brûler de l'encens ou de l'huile parfumée. Vous pouvez pratiquer cette méditation assis ou couché, mais vos bras et vos jambes doivent être décroisés et vos yeux, fermés.

Concentrez-vous d'abord sur votre respiration : inspirez par le nez en quatre comptes ; retenez votre souffle pendant quatre comptes, puis expirez par la bouche en quatre comptes. Répétez cette respiration quelques fois, jusqu'à ce que vous vous sentiez réellement détendu.

Imaginez que vous marchez sur le flanc d'une colline. Vous êtes pieds nus et à l'aise dans vos vêtements. La journée a été torride, mais elle se transforme maintenant en une belle et chaude soirée. Au-dessus de votre tête, le ciel qui s'assombrit annonce l'arrivée du crépuscule. L'herbe est fraîche et apaisante sous vos pieds. Devant vous s'étend une forêt ; à mesure que vous laissez vos pas vous guider vers elle, vous constatez qu'elle se compose de différentes essences : chênes et frênes, houx et sorbiers, ifs, ormes, hêtres et plusieurs autres. Ce sont tous de très vieux arbres et vous savez qu'ils poussent là depuis très longtemps. Bien qu'espacés, ils semblent aller ensemble comme s'ils avaient grandi en formant une communauté. Une légère brise nocturne agite paresseusement leurs branches. En vous approchant de la forêt, vous entendez les oiseaux chanter la fin du jour. Vous voyez aussi un sentier qui sinue entre les arbres et vous décidez de le suivre.

En passant entre les arbres, vous avez le sentiment d'être accueilli par la forêt. Le sentier que vous suivez est couvert de mousse. Au-dessus de vous, les branches chargées de feuilles cachent le ciel, mais la lumière restante filtre à travers le couvert et teinte ce qui vous entoure d'un vert luminescent. Tandis que vous poursuivez votre promenade, vous percevez les sons de la forêt qui se prépare au repos – branches qui craquent, petits animaux qui filent ici et là.

Le sentier sur lequel vous cheminez descend en pente graduelle. Dans le silence qui s'installe, vous entendez, un peu plus loin, murmurer de l'eau courante. Vous continuez à progresser sur le sentier serpentant à travers les arbres. Le clapotis semble parfois tout près, parfois plus loin. Bien que la nuit soit presque tombée, il y a encore suffisamment de lumière pour que vous puissiez discerner votre chemin. Vous continuez à descendre la pente douce. Les sons de la vie nocturne commencent à se manifester : doux hululement d'un hibou, bruissement de branches et de feuilles que frôlent les animaux nocturnes entamant leurs activités quotidiennes.

Vous distinguez devant vous un miroitement de lumière vers lequel le sentier semble vous conduire. Contournant quelques arbres regroupés, vous arrivez à l'orée d'une grande clairière herbeuse au centre de laquelle s'étale un vaste plan d'eau. Descendant la pente douce et herbue vers le rivage, vous marchez jusqu'à ce que vos orteils touchent l'onde froide et immobile. Ici, pas un souffle de vent. La surface de l'eau est semblable à un grand miroir où se reflètent le bleu profond du ciel nocturne et l'orbe argentée de la pleine lune.

Vous restez immobile un moment, à contempler ces reflets, puis vous prenez conscience d'un mouvement sur l'autre rive. Levant les yeux, vous voyez trois femmes qui se tiennent là. La première est jeune, grande et élancée ; elle est vêtue de blanc et ses cheveux clairs sont ornés de fleurs. La deuxième est une femme mûre dont la longue chevelure brune cascade en boucles sur ses épaules. Vêtue d'une robe rouge, elle porte un panier rempli des fruits de l'été. La troisième est une vieille femme, très belle en dépit de son dos voûté et de ses cheveux gris. Elle porte sur sa robe pourpre une cape du même bleu profond que la nuit.

De l'endroit où elles se tiennent, les trois femmes vous regardent et leurs yeux semblent contenir tous les secrets du monde. Tandis que vous leur rendez leur regard, l'une d'entre elles vous sourit et vous ouvre les bras. Vous avancez vers elle et, plutôt que de sentir la fraîcheur de l'onde sous vos pieds, vous vous retrouvez instantanément devant elle. Vous lui tendez les mains et elle s'en saisit avant de s'adresser à vous. Les mots qu'elle prononce sont destinés à vous seul; prenez donc un moment et écoutez attentivement ce qu'elle a à vous dire.

Après vous avoir parlé, la femme vous serre dans ses bras. Vous fermez les yeux. Quand vous les rouvrez, vous êtes de retour sur l'autre rive et la berge opposée est déserte. Vous quittez l'endroit et retournez sur vos pas à travers la forêt. En marchant, vous vous remémorez les mots qui vous ont été dits et vous les consignez soigneusement dans votre mémoire, jusqu'à ce que leur sens soit clair.

Une fois rendu à l'orée de la forêt, vous constatez qu'un nouveau jour se lève, qui promet d'être chaud et ensoleillé. C'est maintenant le moment de revenir à vous, dans votre corps au repos. Vous fermez les yeux et vous vous concentrez à nouveau sur votre respiration.

Quand vous êtes prêt, vous ouvrez les yeux, vous vous asseyez et vous frictionnez vos bras et vos jambes de vos mains.

George David Fryer

MÉDITATION POUR RENCONTRER VOTRE GUIDE

Visualisez un vortex d'énergie blanche tourbillonnant au-dessus de votre tête. Faites-le descendre lentement à travers votre corps et dans le sol.

Ensuite, continuez de créer de nouveaux vortex d'énergie et de les faire passer à travers vous, un peu plus rapidement chaque fois, jusqu'à ce que vous soyez au centre d'une colonne de lumière blanche.

Quand vous vous sentez calme et équilibré, visualisez un cercle de lumière devant vous et invitez une « sage influence » à s'avancer dans la lumière.

Chuck Spezzano

Voici une méditation curative guidée, que j'appelle « de centrement ». Elle constitue un excellent moyen pour guérir le stress post traumatique, les anciens traumatismes et les conspirations (ces pièges tendus par l'ego pour nous faire croire à des situations sans issue). C'est l'un des rares outils qui contribue à guérir les dysfonctionnements familiaux et à recréer les liens d'attachement.

Il s'agit simplement de demander à votre esprit supérieur (ou à l'Esprit-Saint, au Christ, à Bouddha, à Quan Yin, etc.) de vous guider vers votre centre profond, un espace de paix. Si vous êtes en proie à un traumatisme, vous devenez simplement témoin de son impact. Vous demandez ensuite à être de nouveau guidé vers un centre plus élevé et plus profond où l'innocence et la paix sont encore plus grandes. Au bout d'un moment, vous demandez à être guidé vers un centre encore plus élevé et plus profond de paix, d'innocence et de pouvoir. Après chaque étape de « centrement », vous vérifiez l'effet de l'exercice en observant comment la scène vous apparaît et ce que vous ressentez. Continuez jusqu'à ce que vous atteigniez un espace de paix totale et de pure lumière. Cet état fait jaillir la joie et l'amour qui découlent de la méditation et de la guérison.

Richard Lawrence

L'une des expériences les plus excitantes pour moi comme médium a été de recevoir des messages édifiants concernant les expériences spirituelles des êtres habitant les dimensions supérieures. Je ne suis pas spécialisé dans la communication avec les amis et les membres de la famille décédés, dont l'objectif consiste à transmettre des messages de consolation et d'amour. Par contre, comme j'ai eu le grand privilège de canaliser un certain nombre de poètes de différentes époques historiques, j'ai le plaisir de partager avec vous des extraits de quatre de leurs poèmes. Je les ai récités lors d'ateliers et de présentations où ils ont toujours été bien reçus.

Pour les canaliser, je me sers d'une combinaison de télépathie et de clairaudience (ouïe psychique). Je les canalise très rapidement, presque aussi rapidement que je peux les transcrire, mais il ne s'agit pas «d'écriture automatique», car je peux m'arrêter en tout temps. Comme je ne suis pas poète, on a choisi ce mode de communication pour en prouver l'authenticité. Il m'aurait été tout simplement impossible de composer de tels poèmes dans un laps de temps aussi court.

J'espère que vous trouverez les évocations de ceux qui «sont passés par là» aussi profondes, encourageantes et porteuses d'espoir que moi.

Un écrivain ayant vécu il y a un certain temps décrit l'immortalité de la façon suivante :

Une fois encore,
buvez maintenant à longs traits le nectar de la survie.
Même quand le temps se sera arrêté pour essuyer de son front
La totalité des maux de l'Homme et des tourments de l'humanité,
Toutes promesses intemporelles portées par l'espoir creux que
Cette chose appelée «la vie» est permanente en monnaie mortelle.
Disparaissez avec cette sotte idolâtrie!
Car la matière n'a de sens que ceci :
Vivre et expérimenter Dieu sous Ses formes infinies.
La vie mortelle n'a rien à offrir de plus.
Mais au-delà, la réalité; et au-delà, la paix;
Et au-delà de tout cela, oui, dans sa forme la plus pure
Se trouve cet endroit où vit la Divinité Elle-même.

Un auteur-compositeur contemporain rencontre son gourou dans l'Au-delà :

Il m'a roué de coups,
M'a secoué comme un prunier,
Il a fait le compte de mes défauts,
Et il s'est bien défendu,
Il a étouffé ma raison,
M'a mis au défi de rire,
Il a éteint ma colère,
Et mon cœur s'est mis à pleurer.
Alors il a fait une chose
Que je n'oublierai jamais.
Il m'a touché si doucement
Que mes larmes auraient pu couler.
Mais ce désir lui même
S'est dissous quand il m'a touché.
Mon cœur est en paix, maintenant,
Car il m'aimait tellement.
Sa main sur mon front,
Ses yeux brillant tendrement,
Il a regardé mon âme,
Que j'ai enfin senti libérée.

Une poétesse donne son point de vue sur l'Au-delà :

Quand je regarde tout ce qui est terminé,
Comme des vêtements usés rapidement oubliés,
Une seule chose, un seul bien précieux –
Un artéfact vraiment particulier –
Le temps que j'ai passé dans l'amour et la paix.
Me vient le sentiment d'être réellement libérée
Des pensées futiles et des jeux éculés,

Des rituels aux noms d'une telle banalité.
Car c'est le réel et c'est la vérité.
Cela durera et se renouvellera
Encore, et encore une fois.
Poussant comme les fleurs sous la pluie
Jusqu'à ce qu'elles fleurissent enfin dans le temps
À l'apogée d'un climat plus ensoleillé.

Un disque-jockey récemment décédé découvre son être véritable dans la vie après la vie :

Au fond de moi, une voix m'a dit : « Ça va aller,
Reste calme et cesse de lutter ; tout est amour et l'amour est gratuit.
Offre à Dieu le temps sanctifié, et tout ce que tu dois être,
Juste toi. Dans ta Vérité. Ça suffira. »
Nous communierons ensemble, tous en Un.
Il m'a dit, d'emblée, tout ce qu'il y aurait à voir.
Je sais comment c'est ; comment il faut que je sois.
J'en ferai part à quiconque viendra à moi.
C'est tout. Tout ce qui est, rien de plus, juste moi,
Et cette voix, ma voix intérieure, m'a rendu ma liberté.

Ian John Shillito

On oublie tant d'éléments de l'Histoire à mesure que chaque nouvelle génération définit ses points de vue. Ne pas avoir d'histoire, c'est comme être dépourvu de passé, comme ignorer qui sont ses parents. On se demande : « *Où est ma place ?* »

Aidé de l'Esprit, je me sers de mes facultés psychiques et de mon don de médiumnité pour présenter le passé au présent. Je crée une histoire fantôme qui vient se super-poser à la leçon d'Histoire. L'Esprit est toujours ouvert à l'éducation et à l'évolution. Mes enquêtes sur les fantômes sont bien plus que des «festivals de l'effroi» : ce sont des centres de renseignements psychiques.

Je crois à la connaissance, la connaissance de soi et de son environnement. Le monde change et nous, ses habitants, changeons aussi. Nous avons traversé l'ère technologique et fonçons maintenant à la vitesse de la lumière vers l'âge spirituel.

En tant qu'êtres humains, nous pensons que nous sommes déjà bien avancés sur la route de l'existence, mais je sais qu'en tant que race, nous sommes relativement primi-tifs. L'évolution vient tout juste de commencer. Et elle est loin d'être terminée !

LES SECRETS DE L'AVENIR

Shelley von Strunckel

Prédire l'avenir

Être astrologue est à la fois un cadeau et un fardeau. Non seulement cette tradition philosophique complexe se révèle-t-elle infiniment fascinante, mais aussi elle me permet de toucher mes congénères en leur offrant une forme de guidance originale.

D'abord étudiante captivée par le sujet, je suis par la suite devenue consultante privée. Cette occupation consistait à interpréter les mouvements planétaires et l'horoscope individuel de mes clients, afin d'établir une stratégie couvrant tous les aspects de leur vie, de leurs décisions personnelles à leurs initiatives d'affaires – cet aspect étant d'ailleurs favorisé grâce à mon expérience dans le domaine commercial. En 1991, j'ai commencé à rédiger des chroniques astrologiques quotidiennes, hebdomadaires et mensuelles, aujourd'hui souscrites à travers le monde. C'est un travail difficile, mais mes efforts sont amplement récompensés par les lettres et les courriels des lecteurs m'informant que mes chroniques leur ont donné des indices qui les ont éclairés ou les ont aidés à résoudre certains problèmes précis.

L'envers de la médaille, c'est la réaction étrange que ma profession provoque parfois en société. Être astrologue suscite toute une gamme d'émotions, de l'admiration à la méfiance. On suppose que je suis capable de prédire l'avenir et que je sais exactement ce qui va se produire demain, la semaine prochaine, l'an prochain ou dans dix ans. Plusieurs sont par ailleurs convaincus que je possède des informations secrètes et précises sur ce qui va leur arriver. Il m'est arrivé d'être présentée à des personnes qui, avant même que je les salue, m'ont lancé qu'elles ne voulaient rien savoir avant de prendre la fuite!

Quoi qu'il en soit, il est juste de supposer que j'en sais davantage sur l'avenir que la moyenne des gens. L'astrologie est fondée sur le mouvement des corps célestes – le Soleil, la Lune et les planètes – à travers les signes du zodiaque. Les corps célestes sont observés par l'être humain depuis qu'il est devenu sédentaire et a commencé à faire le lien entre les mouvements célestes et les événements terrestres. Ces observations de première heure ont permis de définir et de documenter les grands cycles qui façonnent les périodes majeures de l'Histoire et que les astrologues croient responsables des cycles plus courts de la vie quotidienne.

L'astrologie contemporaine n'a plus rien à voir avec la bonne aventure, qu'il s'agisse de lire son horoscope dans le journal ou d'étudier la carte du ciel d'un client. Il s'agit plutôt de transcender le présent en prenant conscience d'un plan plus vaste. Ce n'est pas un outil servant à fuir les complexités incessantes du quotidien. C'est plutôt une invitation à considérer la vie, le destin et le libre arbitre d'un point de vue entièrement différent, plus complexe et, au bout du compte, plus pragmatique.

Il y a environ quatre mille ans, quand les principes de l'astrologie ont été définis pour la première fois, l'être humain concevait le monde d'un point de vue métaphysique : les hauts et les bas de l'existence étaient considérés comme partie intégrante d'un rythme naturel incontournable. La nature dominait l'être humain qui n'avait d'autre choix que de s'adapter, et les individus devaient faire de leur mieux avec ce qui leur était échu. Il leur fallait être aussi conscients des grands cycles que de ce que le destin leur réservait sur le plan personnel. L'astrologie proposait alors des moyens pour éviter les désastres et tirer profit des occasions, comme elle le faisait depuis son émergence jusqu'à une époque relativement récente.

Les XVIe et XVIIe siècles ont donné naissance à la méthode scientifique qui a transformé notre compréhension du monde. Parce qu'il se concentrait uniquement sur les domaines susceptibles d'être évalués objectivement – pesés et mesurés – grâce à des expériences pouvant être répétées, l'être humain a littéralement redéfini la connaissance. En mettant l'accent sur l'objectivité, la méthode scientifique a modelé la pensée occidentale, mais au détriment de concepts aussi peu scientifiques que l'esprit, l'âme, les émotions individuelles et les différents concepts de Dieu. Comme ils ne répondaient pas aux critères, ces concepts ont été écartés et sont devenus des sujets d'étude de deuxième ordre. La seule prédiction acceptable était scientifique.

Pourtant, même si la science a fait des merveilles dans le domaine de la médecine, de la technologie et des voyages interplanétaires, l'importance accordée par l'éducation à la connaissance objective a engendré des générations d'analphabètes spirituels. Tout au long de cette période, les étudiants ont été incités à vénérer les spécialistes objectifs et dûment formés, mais à se méfier de leurs réactions personnelles et de leurs instincts. La philosophie est devenue un exercice intellectuel plutôt qu'une quête personnelle à travers les complexités de l'existence et, dans le cas des prédictions, au cœur même du paradoxe que constituent le destin et le libre arbitre. Les personnes intéressées à creuser ces sujets devaient se débrouiller seules et travailler en solitaire à leur croissance spirituelle et intuitive, tâtonnant d'essais en erreurs à la recherche d'enseignants pour leur apprentissage.

Selon le modèle scientifique, les prédictions doivent être concrètes, clairement délimitées et catégoriques ; par ailleurs, si elles sont justes, elles doivent l'être immanquablement. Ce mode de pensée ne laisse aucune place au libre arbitre. Dans tout cela, l'ironie est que la méthode scientifique, qui a fait naître l'idée de libérer l'humanité de la maladie et de la famine, a supprimé l'esprit individuel.

Bien entendu, il nous arrive tous à certains moments d'avoir envie de faire fi de nos responsabilités et de nous abandonner aux forces du destin. C'est pourquoi, sous la pression, plusieurs se tournent vers les prédictions de la métaphysique – chiromancie, cartes ou horoscopes –, en espérant qu'elles élimineront la nécessité d'affronter et de régler les situations difficiles. Inversement, certains croient qu'en écartant entièrement ce genre de prédictions, ils affirmeront leur libre arbitre. Les deux clans ont tort.

Il est vrai qu'à une certaine époque, l'humanité n'avait guère le choix. Le destin, déterminé par les conditions entourant la naissance, le sexe et le statut socioéconomique, définissait un avenir auquel seuls les plus courageux et les plus persévérants pouvaient échapper. Mais les temps ont changé. Aussi sinistre que le monde actuel puisse parfois sembler, on assiste à une expansion de la conscience individuelle et du sens de la responsabilité personnelle face à autrui et à la planète.

Ce changement a pour résultat la redéfinition de la relation individuelle avec le destin. D'immuable, il devient négociable. Les prédictions doivent donc être elles aussi redéfinies en conséquence. Elles doivent être considérées comme un instantané d'une situation ponctuelle qui reflète autant les circonstances que l'attitude de l'individu à un moment précis de son existence. Or, un instantané ne capture qu'un moment fugace, rien de plus. Modifiez les éléments – les vêtements ou l'endroit – et la photo suivante, prise quelques minutes plus tard, sera complètement différente.

De la même façon, bien que l'astrologie puisse prédire avec exactitude les cycles, petits et grands, de la vie d'une personne et décrire les réactions probables d'un signe astrologique ou d'un individu face à une situation, dans les faits, chaque être est toujours entièrement responsable de ses choix, car il peut exercer son libre arbitre.

En conséquence, le but des prédictions contemporaines ne consiste pas à prendre connaissance de la donne du destin et à l'accepter. Il vise plutôt à obtenir des indices sur la nature de notre époque, sur les probabilités de revirements et de détours inattendus, et, surtout, sur la manière dont un individu sera porté à réagir. Il s'agit ensuite d'évaluer ces éléments et de prendre des décisions conscientes, informées, qui procèdent du libre arbitre et reconnaissent les prédictions comme des développements probables. Combinée aux renseignements sur la nature et les tendances de chacun, tels que présentés dans son horoscope ou sa carte du ciel, cette façon d'aborder la question aura l'avantage de servir d'avertissement et d'accroître le libre arbitre.

Ironiquement, celui qui fait usage des prédictions, peu importe leur forme, pourrait se révéler bien davantage aux commandes de son destin que celui qui les évite. Les individus faisant fi de ces pronostics pourront penser qu'ils sont libres de toute influence extérieure. Mais personne n'existe au-delà de l'influence des cycles de la nature et de ses réactions aux problématiques qu'il lui faut affronter.

Le véritable pouvoir ne vient donc pas du fait de refuser de tenir compte des rythmes cosmiques : il procède de la révérence envers leur caractère majestueux, ainsi que de l'observation, de la compréhension et du respect des présages qu'ils annoncent. Il s'agit ensuite de décider pour soi-même.

• •

Barefoot Doctor

Q. *Rêve secret pour améliorer le monde ?*

R. Je mets la main sur une poudre magique secrète, parfaitement saine et sans danger, qui, une fois vaporisée dans l'air ambiant, rend les gens au minimum 23 degrés plus détendus que d'habitude. Dans cet état de détente, toutes les personnes touchées se sentent alors plus tolérantes et prêtes à se joindre à l'essor planétaire vers la paix et l'évolution. Ensuite, je vaporise la poudre dans toute l'atmosphère de la planète.

Q. *Secrets de l'avenir – que savez-vous de l'avenir de notre planète ?*

R. Seul un parfait idiot pourrait tenter de répondre à cette question, mais comme je suis passablement idiot, voici le scénario que j'envisage : nous assisterons à l'intensification et à l'accélération d'absolument tout, autant de la destruction que du progrès. Nous aurons donc un climat de plus en plus déréglé, davantage d'inondations, de sécheresses et d'incendies ; le niveau des océans s'élèvera, ce qui aura pour conséquence de submerger davantage de régions peuplées, et il y aura de plus en plus de maladies et de moins en moins de nourriture, d'eau potable et de pétrole. D'un autre côté, l'intelligence et la créativité seront davantage mises en commun pour régler ces problèmes, ce qui entraînera une meilleure gestion des ressources disponibles, une meilleure préparation aux catastrophes, des habitudes de vie plus saines, davantage d'énergie et de technologie durables, une répartition plus équitable des ressources planétaires, une évolution accélérée qui se traduira par des exploits jusqu'ici inimaginables dans tous les domaines de l'existence, et davantage de télépathie et de conscience de groupe en général. Par ailleurs, le monde entier sera dirigé par Beijing.

Robin Lown

Sur le plan historique, les érudits ont tenu la science de la chiromancie en haute estime pendant des milliers d'années. Hippocrate et Aristote la connaissaient et la respectaient. On l'enseignait également à des dirigeants comme César, qui l'utilisaient. Plusieurs confessions religieuses la considéraient comme un outil psychologique et on relève dans la Bible plusieurs citations à son sujet.

Praticienne de la chiromancie depuis quinze ans, j'ai pu constater au fil des années la prédominance des «mains équilibrées». Les gens avec des paumes équilibrées ont une vision pragmatique de la vie. Sur le plan de la dynamique de groupe, ce sont des personnes qui ont besoin d'avoir une forte emprise sur la réalité.

Il semblerait que nous sommes vraiment entrés dans une époque où les aspects scientifiques, pratiques et humanitaires de l'ère du verseau se manifestent. Au cours de la prochaine décennie, ces aspects infuseront de plus en plus la conscience planétaire, ce qui ouvrira la conscience spirituelle des habitants de cette planète et fera naître le besoin pressant de manifester pratiquement nos tendances humanitaires.

Un peu comme si nous vivions une nouvelle Renaissance, nous verrons émerger grâce aux innovations technologiques des façons de faire novatrices, pratiques et créatives, en même temps qu'une véritable volonté d'aider plus de gens, plus souvent, dans plus de pays du monde.

Malheureusement, mes recherches démontrent aussi qu'un nombre grandissant de gens sont de plus en plus intoxiqués. Cette intoxication se manifeste dans les lignes de la main par des formations indistinctes et confuses, qui indiquent une glissade inquiétante vers une psyché confuse, un organisme moins en mesure de combattre la maladie et une augmentation dans l'incidence des cancers.

Les principales lignes de la main font également état d'une augmentation de l'incidence des pertes émotionnelles, ce qui signifie que, plus que jamais, un nombre grandissant de gens seront affectés par des pertes et des catastrophes.

· ·

Chuck Spezzano

Mon rêve le plus secret et le plus transformateur est le suivant : le monde entier est enfin passé au partenariat et nous nous considérons tous comme des amis. Je veux contribuer à instaurer l'ère des amis qui aident leurs amis, afin que le monde entier reconnaisse que nous sommes tous dans la même équipe, la même famille, partageant ensemble le vaisseau spatial Terre. Je rêve de créer le Paradis sur Terre avec mon épouse et ma famille, et d'en faire profiter le reste du monde. Je rêve que je réalise mon objectif et que j'accepte mon destin, que j'apporte au monde ce que je me suis engagé à contribuer en m'incarnant dans la personne que j'ai choisi d'être.

Mon rêve secret pour améliorer le monde n'est pas un secret, car je travaille à en faire une réalité : un monde d'amis qui aident leurs amis. Lors de mon dernier atelier en Chine, nous avons concentré l'esprit, l'âme et le cœur du groupe à dissoudre l'ouragan Rita. Nous avons aussi appliqué nos énergies à aider ceux de notre entourage qui ont besoin d'aide, en nous servant de méthodes psychologiques, chamaniques et spirituelles. Lors de mon dernier atelier au Japon, nous avons focalisé nos énergies pour aider la princesse Masako et, bien entendu, nos amis dans le besoin. Ensuite, durant les deux derniers jours du séminaire, nous avons envoyé notre amour aux victimes du tremblement de terre qui venait d'avoir lieu au Pakistan, en Inde et au Bangladesh. Dans ma vie, le concept des amis qui aident leurs amis ne représente pas un rêve.

À mon avis, l'accélération des énergies célestes s'intensifiera au cours des sept années à venir, ce qui nous amènera à vivre dans un monde d'amis qui aident leurs amis. Nous avons beaucoup de bon travail à faire avant cet avènement.

Si le monde doit être sauvé au cours du siècle actuel, il faudra que le monde des affaires change du tout au tout, entraînant ainsi la transformation de tout le reste. Nous avons encore besoin d'un grand nombre de miracles. Vers le milieu du siècle, le monde des affaires finira par assumer le rôle des gouvernements.

Au cours du siècle suivant, les peuples aborigènes sauveront la Terre. Durant le siècle actuel, ces peuples auront besoin de notre aide et de notre soutien. Regroupés en communautés, les gens apprendront à se changer eux-mêmes et à transformer le monde qui les entoure, ce qui facilitera la naissance de la Terre et de ses peuples, plutôt que les changements traumatisants et les immenses pertes de vie qui ont été prédits.

Je crois qu'au cours des cinquante années à venir, Taïwan représentera le pays le plus important pour la paix et la transformation mondiales : sa relation avec la Chine deviendra soit l'étincelle déclenchant la guerre et le désespoir, soit le premier maillon de la chaîne qui finira par relier toutes les nations du globe. Voilà pourquoi j'ai passé tant de temps à Taïwan dernièrement. Je veux contribuer à amorcer ce changement positif et à bâtir un pont entre les nations.

Le monde fera un bond en avant. Le moment est venu. Nous nous trouvons à un carrefour : continuer d'avancer en boitant ou faire un bond en avant. Si vous faites remarquer à la plupart des hommes que le contraire de bondir, c'est ramollir, je crois que vous leur fournissez une excellente motivation.

. . . .

Leon Nacson

À un moment donné, nous devrons définitivement cesser de nous battre les uns contre les autres, car nous serons forcés de nous concentrer sur notre survie planétaire. Nous allons nous réveiller un matin et prendre conscience que nous avons un problème avec l'air, avec l'eau et avec la terre. Le feu constitue le seul élément que nous n'avons pas encore pollué. Une fois que vaincre notre voisin n'en vaudra plus la peine parce que personne ne s'en sort gagnant en mourant de faim ou de soif, les nations concentreront leurs efforts sur le nettoyage de leur propre terrain et sur la guérison de la planète ; ainsi, les générations futures auront un contentieux à débattre.

David Wells

Q. *Croyances profondes qui vous aident à tenir le coup quand les choses vont mal ?*

R. Je crois fermement qu'il y a une raison à tout ce qui se produit ; nos cerveaux incarnés doivent la cerner et agir en conséquence. Voilà bien le plus difficile ! J'ai une foi absolue dans ce que je sais, tout comme je crois fondamentalement que je peux être un agent de changement et m'adapter aux changements que m'impose autrui.

Q. *Secrets de l'avenir – que savez-vous de l'avenir de notre planète ?*

R. Individuellement, nous devons devenir plus conscients. Faites cela, et tout votre entourage voudra avoir ce que vous possédez ; ensuite, ce seront les amis de votre entourage, et, avant longtemps, nous serons tous plus enclins à pardonner, à faire preuve de compassion et à apprendre, plutôt que de répéter les mêmes vieilles erreurs de génération en génération.

Q. *Rêve secret pour améliorer le monde ?*

R. Porter les mères au pouvoir et jeter tous les «jouets de p'tits gars» !

• •

Becky Walsh

Dans un avenir rapproché, tout le monde possèdera les mêmes dons que moi. Le taux vibratoire de la planète change. Chaque dimension vibre à une fréquence précise qui la rend visible à nos yeux ; donc, à mesure que notre univers augmente son taux vibratoire, notre connexion avec le monde spirituel et même avec d'autres mondes deviendra de plus en plus forte. Regardez autour de vous : vous pouvez déjà constater ce changement. Il se manifestera en partie par le lien que les gens établiront à nouveau avec leurs facultés psychiques, ce qui aura pour conséquence que beaucoup deviendront médiums. Les animaux ne seront pas en reste dans cette élévation spirituelle : plusieurs commenceront à reconnaître leur individualité (ainsi, le chien de ma mère se reconnaît déjà dans un miroir). Malheureusement, nous vivrons un certain nombre de catastrophes naturelles, mais elles nous permettront d'atteindre à une compréhension plus profonde de nous-mêmes et de notre monde.

• •

Diana Cooper

Je chéris une vision...

Je chéris la vision d'un monde en paix, où chacun est bien nourri, éduqué, heureux et spirituellement éclairé. On croira qu'il s'agit d'une belle promesse, mais, à mon avis, il est possible de la matérialiser du vivant de nos enfants ou de nos petits-enfants, en adoptant en assez grand nombre certains principes fort simples.

Je suis consciente que mon ego est le seul obstacle à une vie d'abondance, d'amour, de joie, de santé et de paix continus. Dans les faits, l'ego est le seul obstacle qui nous empêche d'obtenir ce que notre cœur désire. Plus j'en deviens consciente, plus je peux facilement écarter mon ego, de façon à attirer de merveilleuses énergies dans ma vie.

Prenons un exemple : l'envie. Avant, quand j'avais peur de ne pas être assez bonne ou de ne pas réussir assez, j'entretenais des pensées de jalousie et d'envie à l'égard des personnes pratiquant un travail semblable au mien. Ça, c'est l'ego. Mon énergie influençait subtilement les gens, tout en me retenant, bien entendu, par le fait même. Aujourd'hui, je bénis et j'encourage le travail de chacun et j'aide les autres quand je le peux. Mon travail fructifie et le leur aussi, j'espère. La peur disparaît et je me sens heureuse et paisible. Dans la mesure où ils acceptent l'influence de mes pensées, les gens que je bénis se sentent également plus satisfaits.

Considérons la souffrance. Mon ego avait l'habitude de s'y accrocher. Maintenant, je me demande pendant combien de vies je suis prête à me laisser souffrir. Je lâche alors prise immédiatement, afin que l'amour puisse s'installer.

Prenons maintenant la peur de manquer de quelque chose, autrement dit la conscience du manque. Chaque fois que je consacre un moment aux pensées de peur du manque, qu'il s'agisse d'amour, d'argent, d'amis, de bonheur ou de succès, je fais obstacle à mon abondance. Et comme nous sommes tous subtilement liés, je limite aussi la vôtre. Les anges disent que la conscience du manque empêche le monde entier d'avancer.

S'ouvrir à la conscience de l'abondance ressemble un peu à faire la lumière dans votre cerveau. Il s'agit simplement de changer vos pensées, vos paroles et vos actions pour qu'ils expriment la reconnaissance et l'espérance positive. D'abord, remerciez l'Univers pour tout ce que votre vie comporte de bon. Ensuite, remerciez-le pour tout ce que vous êtes sur le point de recevoir, comme si vous l'aviez déjà obtenu, et continuez à le faire jusqu'à ce que l'abondance se manifeste inévitablement dans votre vie, en accord avec la loi spirituelle.

Sachant que vous pouvez attirer tout ce dont vous avez besoin, l'avarice, la mesquinerie ou le besoin de contrôle s'évaporent comme par magie, quelle que soit leur forme. Votre cœur s'ouvre, vous devenez généreux et sincère, vous partagez et vous donnez. Vous êtes alors un maître et assumez la responsabilité de votre vie. Vous agissez avec sagesse. Et surtout, vous commencez à respecter la planète et toutes les créatures qui s'y trouvent.

La conscience est contagieuse. Quand un nombre suffisant d'entre nous aurons décidé de manifester la conscience de l'abondance, les dirigeants de nos pays attraperont la piqûre ! Bientôt, ce sentiment de bonne volonté envers les moins fortunés se répandra. Nous en viendrons à travailler en coopération et en harmonie partout à travers le monde, honorant l'ethnie, la couleur et la foi de chacun. Entre la conscience de l'abondance et l'Unité, il n'y a qu'un pas.

Pour atteindre ce but, je fais chaque jour un petit geste qui n'exige que deux minutes : j'allume une chandelle et je remercie les anges de me protéger, de m'aider à voir le meilleur en chacun et de me guider pour que mes décisions de la journée soient les plus élevées possible.

J'ai deux raisons de croire que ma vision se matérialisera. Premièrement, l'Univers prépare notre planète à l'an 2012, moment signalant une configuration astrologique extraordinaire et très rare, puisqu'elle ne survient que tous les vingt-six mille ans. Il s'agit d'un moment cosmique où nous pourrons être témoins d'événements dépassant notre compréhension. Dans le passé, en raison de l'inconscience régnant sur la Terre, cette configuration a provoqué des guerres et des changements climatiques. Cette fois, l'Univers nous offre son soutien et c'est un tsunami qui nous entraîne vers la lumière. Les anges se rassemblent en grand nombre pour nous aider. Tout ce que nous avons à faire, c'est de demander leur aide : ils viennent alors aplanir notre chemin et nous aident à augmenter notre fréquence vibratoire.

Inconsciemment, les gens se tournent vers les dauphins, gardiens de la sagesse, afin de s'harmoniser avec une vibration supérieure. Les licornes, ces pures et immaculées créatures de lumière, reviennent pour nous purifier et nous connecter à l'énergie de notre âme. On nous redonne aussi accès à plusieurs des énergies de haute fréquence présentes durant l'âge d'or de l'Atlantide, entre autres, la flamme violette, le reiki, l'énergie du Mahatma et les rayons des plans supérieurs.

Deuxièmement, à l'instar de l'enfant génétiquement encodé pour marcher le moment venu, l'être humain a été génétiquement encodé avec les dons, les talents et les compréhensions spirituelles auxquels il avait totalement accès durant l'âge d'or atlantidéen. À l'époque, notre ADN comportait 12 chaînes fonctionnelles, alors qu'aujourd'hui, seules deux sont encore en état de marche. Les chaînes latentes, connues sous le nom d' «ADN-poubelle», sont encodées des dons sacrés que nous possédions en Atlantide. À mesure que nous nous ouvrirons à la conscience de l'abondance, nos droits innés à l'illumination, à la communion spirituelle, aux dons psychiques et à la paix intérieure, nous seront restitués.

Alors, le monde entier vivra dans la coopération, l'harmonie, le bonheur et l'amour. Chaque personne sera éduquée dans le but de développer ses talents innés, afin qu'elle fasse ce qu'elle aime le plus, ce pour quoi elle sera reconnue. Tout existe en abondance pour tous, et le partage se fera dans la joie. Les puissants anges de l'Atlantide reviennent pour s'assurer que les choses se passeront ainsi.

Entre-temps, ne consacrez aucune énergie aux personnes à la compréhension peu éclairée. Ne nourrissez pas par des énergies de peur ou de colère les conflits et les actions de basse nature que vous voyez autour de vous ou qui vous sont présentés aux informations. Contentez-vous de les bénir. S'il vous plaît, concentrez-vous plutôt avec moi sur l'image de notre planète où règne l'ordre divin parfait. Si, ensemble, nous maintenons cette vision, elle se manifestera à l'instant où nous atteindrons la masse critique. Voilà l'héritage que nous avons le pouvoir de léguer à nos enfants et aux enfants de nos enfants. Agissons ! Merci.

ESPOIRS ET RÊVES

Lynne Franks

Comprendre le rêve

La lucidité est l'un des véritables cadeaux de la maturité : pouvoir faire la différence entre l'ego et l'être essentiel, et se rendre compte quand on est déséquilibré par les besoins et les illusions de l'ego.

Nous entretenons tous des rêves quant à ce que nous voulons être ou à l'idée que nous nous faisons de la vie parfaite. Le processus de manifestation de nos rêves représente souvent un élément d'espoir qui nous encourage à continuer. Mais nos rêves peuvent aussi devenir des attachements inutiles. Depuis l'âge de 13 ans, j'ai souvent laissé la fantaisie de mes rêves se substituer à la belle réalité du moment.

Mes rêves et mes visions allaient du prince bien connu, apparu pour me sauver et me rendre heureuse, à ma transformation en princesse guerrière. Dans mon rêve de guerrière, je voulais éradiquer tous les maux de la planète et créer le Paradis sur Terre sur la base de l'amour et du bonheur pour tous.

Le temps et l'expérience m'ont appris qu'au bout du compte, mes rêves n'étaient qu'illusions. Qu'il s'agisse de l'amour parfait, de la carrière la plus réussie, de la famille la plus heureuse, de la jeunesse et de la beauté, ou même du pouvoir de guérir le monde, je dois d'abord et avant tout me tourner vers ma conscience et ma paix intérieure.

Ma pratique spirituelle m'a amenée à reconnaître la puissance supérieure de l'invisible et m'a permis d'aimer un nouveau rêve, autant personnel qu'universel. Je fais partie de la génération des baby-boomers de l'après-guerre : j'ai donc été de ceux qui ont prôné l'amour libre dans les années 1960, pour ensuite se concentrer sur eux-mêmes pendant le reste du XXᵉ siècle, créant ainsi une société de consommation aujourd'hui devenue une menace pour l'avenir même de la planète. Comme j'ai exercé différentes carrières dans les médias, dont celle, extrêmement florissante, de relationniste, et que j'ai fondé SEED, un programme d'apprentissage destiné aux femmes, portant sur les pratiques d'affaires axées sur le développement durable, j'ai été aux premières loges de ces tendances et j'ai pu observer clairement les schémas et les exigences de notre société.

Notre inconscience nous a poussés à augmenter les enjeux en exigeant de posséder toujours davantage et en transmettant le même message à nos enfants. Nous voulions la technologie de pointe, les plus grosses voitures, les modes les plus récentes et les vacances les plus luxueuses. À la lumière de nos désirs matériels, peut-être le dernier rêve que nous pouvons manifester, et le plus mature, consiste-t-il à créer une conscience globale qui fera en sorte que nous pourrons laisser un monde à nos petits-enfants.

Sur le plan personnel, mes rêves spirituels portent sur les déités, sur un regroupement des dieux et des déesses dirigés par la Grande Mère elle-même, qui, en nous invitant à restaurer le pouvoir du féminin sacré, nous rappelle que l'amour, la paix et l'harmonie sont les secrets du bonheur, et non la maison la plus imposante du quartier ou le compte bancaire le mieux garni.

Aujourd'hui dans la cinquantaine, je suis grand-mère. J'ai découvert mon être véritable, entourée d'êtres de tous les plans qui m'ont nourrie et enseignée. J'ai pratiqué la méditation du raja yoga avec les Brahma Kumaris, une communauté dirigée par les femmes; j'ai fait l'expérience des rituels chamaniques avec la nation indigène des Achuar, dans la jungle équatorienne; j'ai communié au pouvoir initiatique de la tribu Spirit Horse dans leur magnifique habitat rustique de la Pennant Valley, au Pays de Galles; et j'ai dansé les Cinq rythmes avec Gabrielle Roth et sa joyeuse bande de guerriers tantriques sur le sommet des montagnes. C'est ainsi que j'ai glané les bribes d'une nouvelle façon de vivre.

J'ai eu la vision de la direction à prendre : en respectant et en aimant nos congénères et cette planète qui est notre foyer, nous pourrons créer des communautés qui s'enrichiront mutuellement en partageant leurs traditions orales, leurs poésies et leurs danses. J'ai vu qu'en tirant profit de ce que la technologie et la science contemporaine ont de mieux et en les incorporant à la sagesse et aux rituels des temps anciens, en honorant notre Mère la Terre en toutes choses, nous pouvons consciemment créer un nouvel avenir aux possibilités infinies, porteur d'espoir pour tous les êtres qui viendront après nous.

Dawn Breslin

Mon rêve secret pour améliorer le monde serait de fonder des centres de créativité axés sur l'épanouissement du potentiel humain, des lieux où les chômeurs, les sans-abri et les groupes d'exclus de la société, les dyslexiques, et toute personne étiquetée comme ayant atteint le maximum de son potentiel, pourraient apprendre à jouer et à prendre conscience de leur pouvoir individuel, entourés de la guidance ponctuelle de gens qui les nourriraient et en prendraient réellement soin.

• •

Alla Svriniskaya

Mon rêve le plus cher et le plus passionné pour un avenir meilleur serait l'ouverture précoce de nos enfants à la conscience de l'énergie, autant l'énergie de leur corps que de l'environnement. L'enfance est une période inestimable pour apprendre à « voyager à l'intérieur de soi », à réfléchir à ses émotions et à les comprendre. Les enfants apprennent aussi très facilement à méditer, car ils possèdent une imagination fantastique.

Nous protégeons trop nos enfants ; une fois adultes, ils ignorent comment gérer les échanges colorés d'énergie négative ; en conséquence, en l'absence d'outils appropriés, leur apprentissage peut s'avérer très souffrant. À l'école, on devrait leur enseigner des techniques de respiration, la puissance de l'intention, la façon de régénérer leur énergie, et ainsi de suite. Si nous donnons à nos enfants des outils qui leur permettent de tisser un lien solide avec leur âme, leur aura et leur énergie, ils découvriront qu'il est beaucoup plus facile de forger leur propre noyau et d'établir leurs propres limites.

L'éducation que nous donnons à nos enfants se concentre beaucoup trop sur le contrôle – « Ne fais pas ceci, ne fais pas cela… ». Nous ne leur enseignons pas l'expression de soi. Or, l'intellect ne suffit pas pour comprendre pleinement la vie et y trouver sa véritable place. C'est la voix intérieure de notre intuition qui nous guide sur le chemin de vie qui n'appartient qu'à nous. Il faut donc apprendre le plus tôt possible à développer son intuition, à lui faire confiance et à la suivre.

Je crois qu'en même temps que la vie, nous recevons une âme afin d'évoluer. Notre responsabilité consiste à quitter ce monde avec une âme plus nette et plus pleine qu'au moment de notre naissance. L'âme transforme le mental en conscience : c'est ce dont nous avons besoin aujourd'hui, dans notre monde, pour nous libérer de nos peurs et nous unir.

• •

Joan Hanger

Mon rêve consiste à rassembler en un seul lieu les personnes les plus puissantes de la planète afin de leur faire comprendre qu'il faut agir pour améliorer les conditions de vie des enfants.

J'ai vécu mon rêve le plus intense au moment de mes démarches auprès du Palais de Kensington, pour interviewer la princesse de Galles, aujourd'hui décédée.

Tandis que j'attendais la réponse du Palais, j'ai rêvé à deux bébés enveloppés dans une couverture à motif de lapins. L'un des bébés roulait constamment hors de sa couverture et bavardait sans interruption ! Je persistais à le remettre dans sa couverture et à l'y enrouler bien serré, mais il en ressortait et continuait à me parler sans cesse. Comme la présence des bébés était l'élément essentiel du rêve, je me suis réveillée avec la certitude que j'obtiendrais la permission d'interviewer Lady Di. Dans les rêves, les bébés symbolisent souvent un nouveau départ et de nouveaux événements dans notre vie. Et en effet, devenir l'amie de la princesse de Galles a changé ma vie de bien des façons.

Puisque la sexualité fait partie de notre société et de notre mode de vie, il est tout à fait naturel que nous soyons divertis par des rêves sensuels et sexuels durant nos escapades nocturnes.

J'ai fait mon rêve le plus étrange à l'âge de 50 ans, après avoir reçu un diagnostic de cancer du sein. La nuit précédant la chirurgie destinée à m'amputer de mon sein droit, j'ai rêvé très clairement à une nécrologie en noir et blanc. Parcourant fébrilement la liste de noms pour vérifier si mon nom ou celui de mes enfants s'y trouvait, j'ai éprouvé un immense soulagement en constatant qu'il n'en était rien. Un brin rassurée, je me suis soumise à l'opération qui, Dieu merci !, a été un succès.

Gordon Smith

Mon amie Dronma est adepte du bouddhisme tibétain; elle fait beaucoup de prières et de guérison pour autrui. Quand je veux que des prières soient récitées pour aider quelqu'un à atteindre l'Au-delà, je demande à Dronma de m'aider.

L'an dernier, j'ai dû faire euthanasier Charlie, mon épagneul Springer anglais qui vivait avec moi depuis dix ans. Il avait contracté une forme humaine de leucémie incurable jamais documentée chez les chiens. Dronma entretenait un lien spécial avec Charlie : elle avait toujours été d'avis qu'il avait une conscience humaine, et avant même qu'il n'arrive dans ma vie, elle l'avait dessiné lors d'une rencontre spirituelle, en me disant qu'il viendrait à moi. Aussi, au moment du décès, a-t-elle gentiment procédé à un rituel bouddhiste tibétain afin d'aider Charlie à parvenir dans l'autre vie. Pour ce faire, elle s'est servie du *Livre tibétain des morts.*

La nuit précédant le septième jour, alors que je revenais à la conscience, j'ai vécu une expérience fort agréable, presque un rêve éveillé. J'entendais Charlie aboyer à partir d'un endroit où j'allais souvent jouer, enfant.

J'ai voulu m'approcher de lui, mais j'ai senti une force m'arrêter et entendu une voix masculine me dire : « Non, tu ne peux pas aller vers lui maintenant, car tu le ramènerais. C'est une étape importante pour lui. »

J'ai voulu faire un pas en avant, mais un mur vrombissant d'abeilles dorées est apparu devant moi. Elles ne me faisaient aucun mal, mais comme je ne pouvais passer à travers elles, je suis revenu sur mes pas.

La voix masculine a repris : «Tu peux partir, il va bien. Écoute-le!»

Et en effet, j'ai entendu Charlie aboyer comme un fou : il avait l'air vraiment heureux. Je me suis réveillé avec l'idée réconfortante qu'il était quelque part où on l'aidait et où on prenait soin de lui.

Quelques jours plus tard, j'ai téléphoné à Dronma pour lui raconter ce rêve étrange. Elle m'a dit : «J'ai érigé ce mur d'abeilles devant toi pour protéger Charlie. Je savais que tu n'essaierais pas de le franchir. J'ai porté un collier orné d'abeilles durant les sept premiers jours de la progression de Charlie, car c'est une étape cruciale où une conscience peut être retenue ici-bas par la compassion. J'ai ôté le collier ce matin à mon réveil, ce qui m'indique que Charlie est rendu sur un autre plan et ne peut être rappelé. Pour que sa conscience grandisse et prenne de l'expansion dans l'autre monde, Charlie devait être libre de ses mémoires physiques pendant les sept premiers jours. Il peut maintenant poursuivre son évolution.»

Ouf! J'ai ressenti un immense soulagement. Et c'est là que j'ai réellement compris le pouvoir de la prière.

· ·

Leon Nacson

Le rêve le plus important et le plus transformateur de ma vie a été celui où mon père bien-aimé, alors décédé, m'est apparu, m'a pris dans ses bras et m'a dit : «Viens, mon fils. Laisse tout cela. C'est le temps de se détendre en buvant une bière.»

À l'époque, j'étais obnubilé par mon horaire de publication, de tournée et d'événements, ainsi que par mes engagements auprès des médias. Je me définissais par mon travail et ma vie n'était qu'une suite d'échéances.

J'ai toujours été capable de résoudre mes difficultés grâce à mes rêves. Durant mon sommeil, la réponse à ce que je veux vraiment faire pour résoudre un problème m'apparaît en rêve et je n'ai qu'à la décoder au réveil.

· ·

Carina Coen

J'ai déjà fait plusieurs rêves inhabituels, mais le plus récent et le plus transformateur s'est produit quand la sirène et le dauphin de la belle toile pendue au mur de ma chambre à coucher, à la tête du lit, se sont animés une nuit. On aurait dit que la moitié supérieure de la chambre avait été transformée en plan d'eau. La sirène flottait au-dessus de moi, chantant et discourant avec une passion intense, tandis que le dauphin rayonnait de bonheur.

La sirène m'a informée qu'une partie de ma mission consiste à diriger les autres vers leur âme essentielle. Elle m'a aussi rappelé que 2008 marquait la nécessité de communiquer avec soi et l'avènement de l'affinité.

Elle a ajouté que le moment était venu de lancer un vibrant appel à l'aide concernant l'eau, un cri d'alarme pour sauver nos âmes et nos océans! Elle m'a pressée de concrétiser encore davantage mon travail de bien-être holistique, que j'ai appelé Mercarina. Elle m'a conseillé de transformer la chambre à coucher de mon appartement en bureau de communication entre les océans et les forêts (les poumons) de la planète, afin de favoriser leur purification. Le jour suivant, j'ai déménagé mon lit sur la mezzanine et acheté un bureau rouge, en forme de huit, que j'ai placé au centre de la pièce. Le moins qu'on puisse dire, c'est que la sirène m'a lancée dans l'action! Et ça a fonctionné.

Je travaille maintenant avec deux organisations, Marine Connection (www.marineconnection.org) et Save The Amazon Rainforest (www.staro.org), et je continue de donner une expansion formidable à Mercarina, forme qui incorpore les arts, la santé holistique, les soins de beauté et la guérison, ainsi que différentes intuitions sur la vie et la manière dont nous pouvons changer et sauver nos vies pendant qu'il en est encore temps.

David Wells

J'ai déjà rêvé que j'assistais à une soirée où je voyais plusieurs visages que j'avais l'impression de reconnaître. J'avais d'ailleurs le sentiment que l'un des invités était un être spirituel bien connu. Debout à l'extrémité opposée de la pièce, il a repoussé le capuchon de sa tunique pour que je le voie. Je lui ai souri, il a répondu à mon sourire, et je me suis réveillé.

Des jours plus tard, durant mon cours d'astrologie, le professeur m'a confié que son maître ascensionné lui avait demandé de me dire que lors de notre prochaine rencontre dans une soirée, je pourrais au moins lui dire bonjour! Or, je n'avais parlé de ce «rêve» à personne. Cet événement a changé mon point de vue quant aux lieux que nous visitons durant notre sommeil...

. . . .

Chris Fleming

Rêves éveillés

Dans mon rêve le plus intense et le plus transformateur à ce jour, j'ai vu ma sœur se noyer et je suis resté là à la regarder. Une bouée de sauvetage a dérivé devant mes yeux sans que ma sœur puisse l'atteindre. Au réveil, j'ai raconté ce rêve à ma mère qui m'a dit de courir chercher de l'aide si jamais il se produisait.

Six mois plus tard, ma sœur de deux ans est tombée dans une piscine. Il n'y avait aucun adulte aux alentours. J'ai couru chercher de l'aide pendant que les autres enfants restaient figés sur place. Je me suis rappelé que tout se déroulait exactement comme dans mon rêve. J'ai sauvé la vie de ma sœur : mes parents l'ont sortie de la piscine comme elle s'enfonçait sous l'eau. Elle portait un habit de neige qui s'est gorgé d'eau et elle a coulé juste au moment où mes parents ont réussi à l'atteindre. Quelques secondes de plus lui auraient été fatales. Je n'avais que quatre ou cinq ans à l'époque.

Mais j'ai des souvenirs qui remontent encore plus loin. Dans le plus ancien, j'observe mon père et ma mère en train de filmer un écureuil dans un parc. Le ventre de maman est tout rond : je ne suis pas encore né.

Sommeil divin

J'ai vécu quelques situations où j'ai bénéficié de l'intervention divine ; en y repensant, je sais que je suis protégé en tout temps. Une fois, en route vers la maison, j'ai commencé à m'endormir au volant et failli me retrouver dans la circulation venant en sens inverse. J'ai frappé le volant de mes poings et demandé à Dieu de me protéger et de ne pas me laisser m'endormir, étant donné que j'avais déjà eu un accident, l'année précédente, justement parce que je m'étais endormi au volant.

Quelques secondes plus tard, j'ai sombré dans le sommeil et ma tête s'est renversée en arrière. Subitement, j'ai senti que quelqu'un me donnait un coup sur le nez, comme quand on reçoit une chiquenaude sur l'oreille. Redressant la tête, j'ai constaté que je me trouvais dans la circulation venant en sens inverse et que les voitures fonçaient droit sur moi. Salué par un bruyant concert d'avertisseurs, j'ai donné un coup de volant pour revenir dans la bonne voie. J'étais en état de choc, imaginant l'explosion et mon corps traversant le pare-brise.

J'ai vite compris que sans cette chiquenaude sur le nez, je ne me serais jamais réveillé à temps pour éviter la catastrophe. J'ai tourné la tête vers le siège du passager et souri, le nez encore douloureux. Il y avait là quelqu'un ou quelque chose qui venait de me sauver la vie.

Réveil collectif

J'espère qu'un jour, les gens se réveilleront et comprendront qu'en continuant à nous séparer les uns des autres, nous nous détruisons. Nous devons être unis, sans égard à nos croyances, à notre état ou à la couleur de notre peau. Sinon, nous serons toujours en difficulté, toujours aux prises avec la guerre. Nous devons mettre un terme à la séparation et instaurer la paix et l'unité. La peur nous pousse à nous séparer; elle est devenue le pire de nos maux et beaucoup trop de gens s'en servent à leur avantage. La Terre va continuer à changer afin de nous obliger à nous unir, mais il se peut aussi que nous choisissions de faire le contraire. Chaque jour, je suis témoin de négativité, de séparation et de mensonges. Quand cela finira-t-il? Est-ce seulement le début? Les esprits nous interpellent pour nous avertir, mais est-ce que quelqu'un écoute? Je l'espère.

● ●

Sarah Dening

Savoir occulte

Quand j'avais environ 21 ans, j'ai fait un rêve étrange. Je me trouvais à l'intérieur d'une pyramide, au temps de l'Ancienne Égypte. L'un des murs comportait un puits creusé à peu près à hauteur des deux tiers du sol. Au pied du puits, une large saillie sur laquelle je me suis étendue. J'ai tourné mon regard vers le puits qui s'enfonçait à l'oblique à travers la pyramide jusqu'au ciel nocturne. Directement dans mon angle de vision, je voyais briller une planète ou une étoile. Il m'est apparu que je venais là régulièrement pour recevoir l'énergie de cette étoile, un peu comme si je rechargeais une batterie. Je savais que le moment venu, quand mon séjour terrestre tirerait à sa fin, je m'étendrais une dernière fois sur cette saillie pour que mon âme puisse retourner vers cette étoile, sa maison.

À l'époque, je ne savais presque rien sur l'Ancienne Égypte. C'est pourquoi, des années plus tard, j'ai été renversée par ce que j'ai lu au sujet de la chambre du roi de la pyramide de Khéops, à Gizeh. Les gens pensaient que les puits obliques servaient uniquement à la ventilation, mais dans l'ouvrage que j'ai lu, on a suggéré qu'ils étaient orientés vers la constellation d'Orion, afin de permettre à l'âme du défunt de retourner «à la maison». Cette hypothèse expliquerait-elle mon rêve? Ai-je en quelque sorte contacté une incarnation précédente, ou touché à une mémoire raciale enfouie? En fait, pouvons-nous accéder à des connaissances occultes grâce à nos rêves? Mon expérience m'a démontré que c'est le cas.

Je me suis toujours intéressée aux grandes questions existentielles. Qui sommes-nous? Quel est le but de la vie? J'ai étudié la métaphysique, pratiqué la méditation et exploré le christianisme, mais les derniers morceaux du casse-tête ne sont tombés en place qu'au moment où j'ai découvert l'œuvre de Carl Gustav Jung. J'ai trouvé sensé son point de vue sur l'importance des rêves, sur la relation entre la partie masculine et la partie féminine de la psyché, de même que sur la nature de la synchronicité. Voulant en savoir davantage, j'ai entrepris une analyse.

Au tout début du processus, j'ai fait un rêve déterminant pour l'orientation de ma vie. J'étais dans un collège, flânant à l'extérieur d'une salle où le professeur Jung donnait une conférence à des étudiants avancés. Soudain, la porte s'est ouverte et Jung lui-même m'a invitée à me joindre à ses étudiants. Au réveil, je savais que je deviendrais thérapeute. C'est ce qui s'est produit.

Depuis quelques années, les lecteurs de la chronique hebdomadaire que je signe dans un journal national m'envoient leurs rêves pour que je les interprète. Un pourcentage significatif de ceux-ci porte sur la mort. Comme dans les rêves, la mort symbolise la transformation, il semble que subconsciemment , plusieurs personnes souhaitent un profond changement de point de vue. Je crois qu'il doit impliquer le retour à l'équilibre des deux côtés fondamentaux de notre nature, nos énergies masculine et féminine, le yang et le yin. Comment? Dans l'ouvrage que je suis en train de rédiger en collaboration avec un guérisseur, je propose une méthode fondée sur un savoir ésotérique remontant aux anciens mystères égyptiens. Mon rêve secret est que ce livre contribuera à l'avènement du changement de conscience que nous désirons et dont nous avons si clairement besoin.

CROYANCES ET
SOURCES D'INSPIRATION

· ·

Barefoot Doctor

Q. *Qui ou qu'est-ce qui vous inspire le plus, et pourquoi ?*

R. Ce qui m'inspire le plus : être témoin des manifestations de courage de l'être humain, envers et contre tout, qu'il s'agisse de vaincre une maladie redoutée, de se sortir d'un emploi détesté, ou de tenter follement sa chance pour faire du rêve de sa vie une réalité. Être témoin des manifestions de compassion de l'être humain envers ses semblables, à grande échelle, par exemple à la suite d'une tragédie, comme le tsunami en Asie ou les attentats à la bombe de Londres.

Les personnes qui m'inspirent le plus : R. D. Laing, psychiatre dissident et héros de la contre-culture, avec qui j'ai eu le privilège d'étudier et de décortiquer les complexités de ma propre psyché à la fin des années 1970. À part lui, John Lennon (sans conteste un avatar), Jésus (ou, du moins, le mythe qu'il représente pour moi dans son rôle de guérisseur), et Chuang-tseu, jadis maître de l'ancienne doctrine taoïste chinoise, génial rabâcheur surhumain, pour l'extrême clarté de son esprit et son sens de l'humour indéniable face à un monde ridicule (même à cette époque).

Q. *Croyances profondes qui vous aident à tenir le coup quand les choses vont mal ?*

R. Tout s'enchaîne selon la loi immuable du yin et du yang, de l'obscurité et de la lumière, de la facilité et de la difficulté. L'un se transforme inévitablement en son opposé et vice-versa, et ainsi de suite, *ad infinitum*. En conséquence, l'être humain vit des changements qui vont du facile au difficile et inversement, ce qui signifie qu'il n'est pas nécessaire de s'accrocher à l'une ou l'autre des phases du cycle, que ce soit en jubilant quand tout va bien, ou en se sentant vaincu quand ça va mal. Quand les choses vont mal, je me répète que « *de cette obscurité jaillira une grande lumière* », ce qui m'aide généralement à traverser les pires moments.

• •

Judi James

Bien que j'aie tendance à souligner l'importance de se fixer des buts, je puise encore beaucoup d'inspiration et de motivation dans les émotions négatives comme la colère. Si vous voulez me voir réussir quelque chose, dites-moi simplement que j'en suis incapable ! Pour une raison ou une autre, l'idée de prouver aux gens qu'ils ont tort et de les affronter me fait vraiment monter sur mes grands chevaux (métaphoriquement, bien sûr !).

J'ai donc été très inspirée par un de mes professeurs de lycée : non seulement elle me terrifiait, mais elle était aussi persuadée que j'étais nulle en anglais. J'ai travaillé d'arrache-pied pour prouver à cette vieille sorcière qu'elle avait tort et je dis toujours que c'est grâce à elle si j'ai écrit six romans et huit ouvrages non romanesques !

J'ai même assisté à une rencontre des anciens du lycée précisément dans l'idée de lui dire ce qui précède, mais en dépit du fait qu'elle semblait avoir rétréci, je n'ai pas soufflé mot parce qu'elle me terrifiait toujours autant.

J'aime continuer à m'inspirer, aussi dois-je continuellement m'en prendre à moi-même et me réprimander. Et on dirait bien que ça fonctionne !

Michele Knight

J'ai toujours voulu encourager les gens à assumer leur propre pouvoir et à devenir les magiciens de leur vie. Je donne donc des lectures axées sur la transformation plutôt que sur une dépendance au destin.

La vie est faite d'une succession de moments, certains bons, d'autres mauvais. Tragédies et triomphes : rien de tout cela ne peut être retenu ou conservé. Tous les moments passent, les meilleurs comme les pires, tels le flux et le reflux d'un océan imprévisible. Il faut donc considérer les choses d'un point de vue plus vaste et ne pas se laisser piéger par les menus détails du quotidien.

Quand nous vivons quelque chose d'incroyable ou de désespérant, il peut nous arriver de rester paralysés et de croire que ce que nous vivons durera éternellement. Nous croyons que nous serons toujours aussi joyeux ou aussi déprimés. Pensez à ce que vous viviez il y a trois, cinq ou dix ans. Vous reconnaissez-vous ? Avez-vous les mêmes points de vue, les mêmes émotions, les mêmes amours ?

Si nous pouvions nous élever au-dessus de ces moments et considérer notre vie comme un tout, les choses seraient bien différentes. Croire à l'éternité du moment présent ressemble un peu à sombrer dans des sables mouvants : on se fait aspirer par une illusion. Si le moment est formidable, traversez-le en voguant sur la vague, vivez-le, mais restez conscient de son caractère transitoire. Car voilà l'énigme : le moment présent est tout ce que nous avons. La véritable magie consiste à accepter le moment et à le vivre.

En vivant l'instant présent, vous pouvez faire des changements qui se répercuteront dans toute votre vie et en modifieront l'orientation. La foi dans l'instant présent, horrible ou magnifique, signale l'occasion d'effectuer une révolution personnelle.

La vie est un panorama : les pires trahisons que j'aie vécues ont servi de tremplin à la manifestation des joies de ma vie actuelle. À l'époque, ces épreuves ont eu des conséquences incroyablement douloureuses, mais elles ont aussi favorisé l'avènement de miracles importants. Les pertes peuvent détruire votre ancienne existence et vous guider vers une vie dépassant vos attentes.

Il y a plusieurs années, mon partenaire du moment m'a quittée pour une amie de longue date. J'étais dévastée. Prisonnière de mon engagement, j'étais incapable de voir combien la relation était devenue destructive, ni à quel point je m'étais éloignée de mon chemin. Quand nous refusons de voir la réalité de notre vie, l'Univers nous envoie parfois une bénédiction déguisée en coup du sort.

Cette rupture m'a amenée à transformer ma vie du tout au tout : j'ai quitté Londres pour la campagne afin de matérialiser la vie dont j'avais toujours rêvé, avec cottage à toit de chaume, ânes et chevaux. Je me suis aussi engagée dans une nouvelle relation, plus profonde que ce que je n'avais jamais cru possible. Dans mes prières, je remercie encore ma vieille amie de m'avoir fait le cadeau de me libérer d'une existence éculée.

Parfois, nous évitons de suivre nos rêves ou les élans de notre cœur à cause de l'opinion d'autrui. Nous restons dans différentes situations parce que nous pensons que c'est la chose à faire ou parce que nous croyons l'autre incapable de se débrouiller sans nous. En fait, c'est manquer de respect envers le sacré qui vit en chaque individu. Nous avons tous accès à la magie du changement et nous avons tous aussi le pouvoir de nous en saisir.

La vie est tout juste un battement d'ailes de papillon dans l'immensité du temps. Alors, rassemblez vos esprits et demandez-vous ce que vous voulez dépasser et réaliser. Vous méritez de nombreux miracles. Vous méritez le bonheur, le pardon, l'abondance et l'amour. N'abandonnez jamais !

. . . .

Pauline Kennedy

La première fois que j'ai pris conscience de mon don de guérison, j'assistais à une conférence de Stuart Wilde, au milieu des années 1980. À la pause, la dame assise à côté de moi souffrait de migraine. Plaçant mes mains sur son front et dans son cou, j'ai visualisé la disparition de la douleur. La dame m'a dit avoir senti une flamme jaillir de mes mains et pénétrer à l'intérieur de son crâne ; quelques minutes plus tard, sa migraine avait disparu. Cet événement a été un point tournant : il a marqué le début de mon aventure pratique dans le domaine des arts curatifs.

La possession que je chéris le plus est mon sens de l'humour : il m'a tirée de certains épisodes très noirs et m'a aussi permis de tisser des liens avec les gens et de leur remonter le moral. Le rire et la joie sont de puissants agents curatifs.

Mes guides spirituels m'accompagnent depuis mon enfance. Ils adoptent presque tous la forme d'un animal. Je n'en parle pas, car je suis persuadée que ce faisant, leur pouvoir se dissipe. Je me suis toujours sentie protégée et ils me guident tous extrêmement bien. Ils me viennent toujours en aide quand je leur en fais la demande. Il faut demander des instructions à nos guides, sinon ils restent des observateurs impartiaux.

Mes croyances profondes sont comme mes racines. Les voici :

Vis le moment présent,
Travaille sur ton Soi intérieur, écoute-le et fais-lui confiance,
Pardonne toujours, autant à toi qu'aux autres,
Respecte tout ce qui est, car tout a sa place, même le mal,
Sois au lieu de faire,
Détache-toi, ne juge pas,
Si tu n'aimes pas quelque chose, change-toi,
Protège et nourris les créatures et les choses vivantes qui ne parlent pas le langage humain (y compris les êtres extraterrestres),

Reste éveillée, consciente et vivante (regarde des deux côtés avant de traverser la rue),

Sois honnête,

Sois aimante même quand tu as mal,

Honore l'environnement et fais ta part pour lui,

Redonne au moins dix fois plus que tu ne prends,

À un moment donné, si tu restes concentrée, sèmes une intention et fais le ménage dans tes bagages, la vie tournera au mieux,

Sois patiente, sage, bienveillante et aimante,

Recherche la joie et fais confiance à la magie de la vie.

Nous vivons actuellement un énorme changement de conscience planétaire. Je crois qu'une lutte intense entre le Bien et le Mal se poursuit comme jamais auparavant dans les profondeurs psychologiques de la psyché humaine. Nous vivons une époque où les choses vont passer ou casser, mais c'est aussi une période de grande transformation positive, remplie de possibilités. C'est une époque étonnante où nous avons la chance de réellement comprendre notre existence ici-bas, de réaliser pleinement notre potentiel, et de commencer à nous concentrer sur notre merveilleux rôle de créateurs et de gardiens, non de despotes et de destructeurs.

Hazel Courteney

Qu'arriverait-il à votre vision du monde si vous aviez l'absolue certitude que la vie après la mort et la réincarnation sont des faits? Que nous sommes capables de faire des miracles et que nos pensées contribuent à créer tous les aspects de notre monde physique?

Eh bien! Pour ma part, je vois aujourd'hui le monde d'un œil très différent, car en 1998, en présence d'un docteur en médecine, j'ai vécu une expérience incroyable de mort imminente qui a déclenché un grand nombre de phénomènes paranormaux.

À la suite de cette expérience, j'ai commencé à voir tous les êtres, y compris les humains, comme des formes d'énergie ou de fréquence. Par ailleurs, je voyais et j'entendais clairement les autres dimensions, et mon champ énergétique faisait tomber l'équipement électronique en panne. Je suis devenue, entre autres choses, superclairvoyante, et j'ai acquis la capacité de changer la chaîne de télévision simplement en regardant l'écran.

En tant que journaliste, j'étais déterminée à découvrir des explications rationnelles à ce qui m'était arrivé. Au cours des années subséquentes, j'ai rencontré plusieurs personnes ayant vécu des éveils spirituels intenses, ainsi que quelques scientifiques de renommée internationale qui ont partagé avec moi les résultats de leurs recherches, lesquels ont résonné avec justesse dans mon âme.

Plusieurs instituts de recherche et nombre de chercheurs – dont Gary Schwartz, professeur de psychologie à l'Université d'Arizona, et David Fontana, professeur à l'Université de Liverpool – ont aujourd'hui accumulé un corps de preuves si important sur la survie incontestable de la conscience à la mort physique, que c'est maintenant au camp des sceptiques de prouver qu'il n'en est rien.

Des scientifiques comme Bill Tiller, professeur émérite de l'Université Stanford, aux États-Unis (www.tiller.org), ont également amassé une foule de données établissant la possibilité de l'existence de la réincarnation, de la télépathie et de plusieurs miracles.

Tout ce que j'ai appris de ces scientifiques cadre avec ce que j'ai intuitivement compris durant mon EMI[3]. Ainsi, ce que nous avons tendance à considérer comme solide, la matière physique, n'est rien de plus qu'une énergie *organisée; nos intentions soutenues* sont le facteur essentiel présidant à l'organisation de l'énergie sous forme de matière.

Mais surtout, j'ai pu voir plusieurs de nos futurs possibles. Je sais maintenant que nous avons tous bien plus à voir avec le choix de notre avenir que la majorité ne le croit. Bien entendu, certains événements majeurs sont « coulés dans le bronze » pour des milliers d'années – ou du moins, ont été mis en branle par des événements survenus il y a des millénaires –, mais le reste dépend de nos pensées et de nos actions sur tous les plans.

Un exemple : si, sur le plan physique, vous ne mangez que des hamburgers, des chips et de la malbouffe, vous créez un avenir probable où vous aurez le diabète, une cardiopathie ou un accident vasculaire cérébral. Vous pouvez également choisir de consommer des aliments sains,

---

3   Expérience de mort imminente. (*NDT*)

auquel cas vous aurez la possibilité de vivre un futur en meilleure santé.

Tout est fréquence : vos aliments et vos pensées émettent des fréquences spécifiques. Or, les fréquences véhiculent des quantités incroyables de données. Chaque cellule de votre organisme émet une bande de fréquences qui lui sont propres (données) et qui sont aussi uniques que votre ADN. Les personnes qui sont au courant de ce fait sont capables « d'entendre » et d'interpréter ces fréquences, ce qui explique pourquoi les clairvoyants en savent autant sur vous sans jamais vous avoir rencontré.

La science a aussi démontré que si suffisamment de personnes – une par groupe de 100 – réussissent à envoyer des pensées concentrées, cohérentes, positives et aimantes (fréquences) aux êtres qui leur sont chers et au reste de leurs semblables, *l'accumulation* de ces pensées aimantes crée autour de nous une grille maillée invisible qui finit par se manifester sur le plan physique. Nos pensées peuvent donc littéralement aider à mettre un terme aux guerres, à réduire la violence et le stress – et elles peuvent aussi guérir les gens.

Dans plusieurs parties du monde, de nombreuses expériences scientifiques indépendantes ont prouvé et vérifié ce postulat. Pour en savoir plus, visitez le Global Consciousness Project (http://noosphere.princeton.edu), mené à partir de l'Université de Princeton, aux États-Unis, et le site de l'Université Maharishi (www.mou.org ct www.mum.cdu).

Le plus grand secret de la sagesse consiste à comprendre à quel point *votre* apport au monde peut s'avérer important.

Commencez dès aujourd'hui : mangez des aliments plus sains et, ensuite, efforcez-vous de penser positivement – en elle-même, la pensée positive renforcera votre système immunitaire. Travaillez à laisser émerger en vous la certitude que tout ira pour le mieux. Et souriez davantage. Votre bonheur influencera votre entourage et vous lancerez ainsi une réaction en chaîne. Par la suite, faites ce que vous pouvez, quand et où vous le pouvez, pour aider vos semblables et notre planète. Chaque jour, répétez-vous sans discontinuer que «tout est parfait».

Grâce à ces outils, vous intensifierez votre croissance spirituelle et vous aiderez l'humanité à faire le prochain «grand bond en avant».

● ●

Alberto Villoldo

Les chamans ne s'appuient pas sur des croyances ; ils se fondent sur l'expérience. La croyance relève de la religion, alors que l'expérience est l'apanage de la spiritualité. Il y a une différence entre la religion et la spiritualité : la première se fonde sur des expériences vécues par quelqu'un d'autre il y a deux mille ans, alors que la seconde s'appuie sur les expériences que vous êtes en train de vivre ici et maintenant.

Dans les moments difficiles, je prie. Je demande les bénédictions du Ciel et de la Terre et ma souffrance s'évanouit. Il faut distinguer entre la souffrance et la douleur. La douleur fait partie intégrante de la vie, alors que nous pouvons éviter la souffrance. La souffrance est ce qui se produit dans notre esprit, ce qui nous transforme en victimes.

. . . .

William Bloom

Q. *Profil astrologique ?*
R. Soleil et Lune en Verseau, ascendant Cancer.

Q. *Premier souvenir ?*
R. Je joue avec ma mère.

Q. *Croyances profondes qui vous aident à tenir le coup quand les choses vont mal ?*
R. Quand je vis des choses difficiles, j'ai tendance à ne pas lutter et à ne pas me plaindre. C'est un gaspillage d'énergie que de chercher à combattre les cycles de la vie. Dans le bouddhisme, un concept utile dit que ce qui compte, ce n'est pas votre souffrance. Ce qui compte, c'est votre attitude face à votre souffrance.

Q. *Qui ou qu'est-ce qui vous inspire le plus, et pourquoi ?*
R. Je suis profondément inspiré par certains parents que je connais qui prennent soin d'enfants avec des besoins spéciaux. Certains de ces enfants sont adolescents et adultes. Quels que soient les circonstances et le soutien disponible, l'épuisement émotionnel, la souffrance et le sacrifice de soi s'avèrent énormes. Et à la source de tout cela, il y a un amour mystérieux et durable.

C'est pour moi un rappel de me concentrer sur l'éthique fondamentale de l'amour inconditionnel et de ne pas me laisser distraire par un égoïsme pétri d'autosatisfaction. Cela me remet en mémoire l'aspiration de l'âme à la guérison et à la rédemption, et aussi l'importance d'être humble et en accord avec soi-même.

Q. *Rêve secret pour améliorer le monde?*

R. Je crois qu'il est possible de créer le Paradis sur Terre et que tous les peuples peuvent vivre harmonieusement ensemble et avec la nature. Mon plus grand rêve est de voir toutes les maisons de la planète équipées de sources d'énergie entièrement propre, et, dans toutes les villes, un parc avec des fontaines, de l'eau potable et un terrain de jeux pour les enfants, tous les 30 mètres.

Q. *Secrets de l'avenir – que savez-vous de l'avenir de notre planète?*

R. Je crois qu'en tout temps, la grâce est présente et des miracles se produisent. Je crois également que nous devons nous montrer réalistes : les grands mouvements de l'Histoire et le karma collectif de l'humanité pourront prendre des millénaires avant de manifester l'harmonie.

Le secret consiste à entretenir un espoir naïf teinté de sage réalisme. Nous devons ensuite travailler et faire preuve d'un grand courage et de beaucoup d'endurance pour que l'utopie devienne une réalité, même si nous n'en voyons pas l'avènement durant notre vie.

Le Paradis pour tous est inévitable, mais nous devons travailler à sa matérialisation.

Stuart Wilde

Le pouvoir féminin du lâcher-prise

Il est facile de s'indigner devant le mal qui sévit sur la planète et de s'élever contre la maltraitance dont la Terre et son règne animal sont victimes. Et pourtant… Votre âme deviendra trempée à force de patauger dans les fleuves d'injustice que vous êtes impuissant à réparer. Parfois, le poids de l'impuissance et de la futilité pèse sur vous comme un linceul. Aveuglé par une rage muette, vous perdez contact avec la beauté. Vous oubliez alors rapidement votre être véritable et la direction qu'il vous faut prendre.

Il y a quelques années, enfourchant les grands chevaux de l'indignation, j'ai entrepris de combattre le mal. J'ai engrangé de formidables succès, mais j'ai essuyé un nombre encore plus grand de défaites. Au bout du compte, je me suis épuisé et je suis tombé malade, frôlant la mort quelques fois en chemin.

À un moment donné, j'ai compris qu'il était stupide de vouloir combattre le mal. J'ai donc adopté une idée que j'ai appelée « le déni souriant ». Il s'agit de sourire en prétendant que tout va pour le mieux. Mais le déni souriant finit par se transformer en souffrance, car il sanctionne un grand nombre de mensonges. Aussi, pour me guérir de cette attitude, j'ai tenté de m'isoler pendant trois ans et demi, mais je me suis senti seul. Aujourd'hui, je me tourne les pouces en attendant de découvrir une nouvelle formule. Je crois qu'on l'appelle « le lâcher-prise ».

J'ai réussi à me réconcilier avec l'idée en comprenant deux choses importantes : dans cette vie, l'impuissance fait partie de notre karma et nous devons l'accepter avec bonne grâce. Même si l'injustice reste quelque chose de terrible, nous pouvons constater une certaine amélioration dans le monde depuis quelques décennies, à mesure que l'humanité devient de plus en plus sensibilisée et consciente. De plus, la conscience des injustices et le fait d'en être témoins nous apprennent à reconnaître ce que nous ne voulons pas devenir.

Il y a une certaine beauté dans le lâcher-prise. C'est une humilité féminine qui lance un appel à nos âmes blessées, d'au-delà des brouillards de l'ancienne Avalon. Tard le soir, j'appelais à moi les Dames de la brume en disant : « Aidez-moi, mon cœur crie ». Et parfois, l'Esprit féminin du lâcher-prise me murmurait son message au travers de mes rêves et de mes visions : elle m'invitait à laisser tomber, à m'asseoir et à attendre. Alors, pour passer le temps, j'envoyais un souffle d'amour vers le cœur des menteurs, des arnaqueurs, des pédophiles et des escrocs de l'âme humaine, et je me sentais mieux. J'attendais, comme on me l'avait demandé.

Presque tout le mal origine du yang masculin : tous les récits glorieux dont notre société s'enorgueillit ne sont en fait que d'épouvantables comptes rendus de pillages, de massacres et de conquêtes. L'humanité n'est rien de plus qu'un enfant malade, affligé d'un déséquilibre du yang qui dure depuis plusieurs milliers d'années. C'est une phase de notre évolution, semblable aux frasques d'un adolescent rebelle. Rien ne sert de le combattre, car devant l'émotion soulevée par notre antagonisme, nous perdons la douceur même qui porte à la réconciliation et à la rédemption.

Nous sommes tous en croissance et en changement. Dans le cauchemar collectif de l'humanité filtre une lumière dorée à travers l'obscurité de la nuit, qui libère les gens aussi vite qu'ils embrassent un nouvel idéal. Il nous faut être reconnaissants de tous les instants de clémence, car nombre de personnes cheminent sur la voie spirituelle et essaient de s'échapper en en entraînant d'autres avec elles. Devant cette prise de conscience, faisons preuve de patience et de lâcher-prise, car il y a de la douceur dans cette façon d'être. De toute façon, quand le temps aura suffisamment coulé, le yin féminin triomphera, car le yang masculin se sera consumé de lui-même.

Pour épouser la douceur, mieux vaut éviter de s'arrêter aux carences des gens ; il est préférable de se concentrer sur les qualités héroïques qui rachètent leurs défauts, tout en travaillant à s'améliorer soi-même, bien entendu. Pour vous transformer, apprenez à méditer afin de diminuer la fréquence des oscillations de votre matière grise ; vous passerez alors des idées de l'éveil aux émotions subtiles et aux réalités alternatives.

Cette féminité douce mais ferme représente un immense pouvoir dont nous ne savons pas grand-chose. Par contre, elle a prouvé qu'elle nous soutient quand nous commençons à nous libérer et qu'elle nous renforce avec bienveillance quand nous doutons ou que nous chancelons. Sachez donc que vous n'êtes pas seul.

Il ne s'agit pas de confronter le système tout en essayant d'en sortir. J'ai fait preuve de trop d'impertinence ici-bas ;

j'aurais dû me taire. Confronter le système est stupide, car ce que vous confrontez vous tient invisiblement par le poignet et vous empêche de vous échapper.

Mais j'ai appris et j'ai fini par me retirer. Une fois que j'ai eu lâché le gourdin de mon indignation et épousé l'esprit féminin, l'humilité de son univers m'a graduellement bâti un pont, et j'ai trouvé une issue de secours. Le répit est là pour que toute âme épuisée soit bénie d'une deuxième chance… comme il se doit pour chacun de nous.

. . . .

Laura Berridge

Nous vivons une époque historique où l'énergie féminine, étouffée et jugée pendant des milliers d'années, émerge à nouveau pour rééquilibrer notre être et le monde dans lequel nous vivons. Mon travail libère les femmes en leur apprenant à apprécier leur féminité, à reconnaître leurs dons intimes et le but de leur existence, et à offrir au monde leur beauté originale sur le plan physique, émotionnel et spirituel.

À mesure que nous nous réapproprions notre plein potentiel en tant que femmes, nous nous souvenons que nous sommes tous divins et connectés à l'Unité et à l'Amour. Je sais que les épisodes de guérison miraculeuse que j'ai vécus m'ont préparée à cet enseignement. Sur mon chemin de croissance, j'ai travaillé avec plusieurs énergies archétypales et différentes facettes des déités : Artémis, Vénus, Kali, Madeleine et Isis. Mais j'ai aussi exploré leur obscur envers collectif et leur héritage de chagrin et de perte.

Je travaille actuellement avec Lakshmi, révérée en Inde comme la compagne divine du dieu Vishnu, porteuse de chance, de lumière, d'amour et de beauté. Nous avons tous vécu suffisamment de difficultés ; je sens que Lakshmi représente l'abondance et le sain bien-être du partenariat divin, de l'illumination et du partage du Ciel sur la Terre.

• •

Cassandra Eason

Certaines de mes croyances les plus utiles :

• Aujourd'hui est le demain à propos duquel je m'inquiétais hier. Si ce pépin qui me préoccupe ne se matérialise pas – et même s'il survient –, j'aurai perdu la journée d'hier à m'inquiéter de ce que j'étais de toute façon incapable de changer.

• Si je fais une bonne action pour autrui quand je le peux, quelqu'un me témoignera de la bienveillance quand je serai fatiguée ou très déprimée : c'est une sorte de tirelire cosmique.

• En disant quelque chose de gentil à la personne qui se montre brusque, condescendante ou butée, je reprends instantanément le contrôle de la situation.

• La vie est fondamentalement bonne ; si j'ai une haute opinion de mes semblables, généralement, ils finiront par justifier ma foi en eux. Ce concept m'a aidée à croire que mes enfants trouveraient le chemin qui leur convient si je leur donnais de l'espace et de l'approbation.

- Il n'y a pas de bon moment ni de moment parfait; si je veux faire quelque chose, je me fouette pour passer à l'action, en espérant que les énergies me rattraperont.

- Mais surtout, je crois que ce que nous regrettons le plus, ce sont les choses que nous n'avons jamais essayées; c'est pourquoi j'accepte généralement de faire la plupart des choses que la vie me propose, même celles qui semblent peu prometteuses. Et même quand elles tournent au désastre, je suis contente d'avoir vécu l'expérience.

Quelques prédictions édifiantes :

- D'ici trente ans, on découvrira une ethnie ou une tribu qui aura réussi à préserver presque entièrement sa culture. Elle incitera la conscience populaire (même les personnes qui vivent à 100 à l'heure) à adopter un mode de vie plus ancien et plus lent, ce qui entraînera des répercussions d'une portée considérable.

- Après une explosion de troubles déficitaires de l'attention et d'hyperactivité chez les jeunes et la génération des jeunes adultes, on assistera en moins d'une décennie à un revirement complet de l'opinion publique en ce qui concerne les jeux sur ordinateur, les téléphones cellulaires et les films de violence, et à un retour à une approche plus simple et plus douce de la vie.

- Au cours des vingt prochaines années, la médecine alternative finira par faire partie intégrante des courants de pensée majoritaire, conséquence des découvertes toujours plus terribles de la toxicité des médicaments modernes. On reviendra à des considérations sur la qualité de la vie, plutôt que d'insister sur la nécessité de prolonger la vie par principe.

• •

Wyatt Webb

J'ai le privilège de participer à un processus où les gens guérissent une vie de blessures qui les ont empêchés de s'approprier et d'expérimenter leur droit inné à la liberté émotionnelle et spirituelle, état connu sous le nom de « joie de vivre ».

Je n'entretiens pas de rêve secret pour améliorer le monde ; je chéris plutôt une croyance que je proclame ouvertement selon laquelle, en tant que culture mondiale, nous avons désespérément besoin de grandir et d'assumer la responsabilité de nos pensées, de nos émotions et de nos comportements. Nous avons tous à conquérir une fois pour toutes notre peur et le mépris que nous nous portons, à cesser de critiquer et d'attaquer, et à commencer de nourrir et de partager ouvertement nos cultures, tout en concédant à chacun la liberté d'être authentique.

DEUXIÈME PARTIE –

mieux-être;
santé et guérison;
régime et exercice;
beauté

Doreen Virtue

Q. *Signe astrologique et autres influences planétaires ?*
R. Soleil : Taureau
Lune : Vierge
Ascendant : Capricorne
Vénus : Poissons
Mars : Poissons

Je suis très contente d'être un triple signe de Terre : cela me garde enracinée alors que j'enseigne de l'information très ésotérique.

Q. *Premier souvenir ?*
R. Regarder Kenny, mon frère cadet, dans son berceau. J'avais un an et demi à sa naissance.

Q. *Possession favorite, et pourquoi ?*
R. Je ressens beaucoup d'amour et de reconnaissance pour tout ce que je possède, mais je ne suis attachée à rien de tout cela.

Q. *Meilleur truc de méditation ?*
R. J'ai le sentiment que je suis toujours en état de méditation et dans un tel état de transe que je conduis rarement une voiture (sauf sur de très courtes distances, comme pour me rendre au marché non loin de chez moi). J'ai organisé ma vie de façon à ne pas être obligée de fonctionner très souvent avec mon cerveau gauche. J'ai attiré des gens merveilleux autour de moi ; mes amis, employés et membres de ma famille se chargent de tout ce qui m'est nécessaire et qui relève du cerveau gauche, et ils font de l'excellent travail.

Q. *Moyen secret pour vous dorloter ou vous guérir qui vous fait sentir remarquablement bien ?*

R. Une fois par semaine, je pratique systématiquement deux passe-temps qui sont du plaisir à l'état pur : le baladi et la plongée en scaphandre autonome. Je suis continuellement des cours ; je trouve que ces activités me permettent de prendre une distance par rapport à mes préoccupations terrestres et qu'elles m'apportent une béatitude qui diffère totalement de toutes mes autres expériences.

J'aime la plongée en scaphandre autonome pour le sentiment de totale liberté qu'elle me donne : je peux «voler» sous l'eau sans avoir à remonter à la surface pour respirer. Le silence est complet : on n'entend ni téléphone, ni automobile, ni avion… juste le bruit de sa respiration. J'aime communier avec la vie marine : poissons, tortues, dauphins, lamantins et autres amis de la mer. Les souvenirs que je garde de l'Atlantide sont plus vifs quand je suis en plongée.

Pratiquer le baladi est un excellent exercice qui permet de se connecter à la Déesse et de nettoyer ses chakras. C'est l'une des plus anciennes formes de danse et une très belle expression de la grâce et du pouvoir du divin féminin. J'aime danser avec les écharpes, sorte de chromatothérapie. C'est ma guidance divine qui m'a incitée à suivre des cours de baladi. Je me suis sentie à ma place dès le premier jour et je m'y suis fait de très bonnes amies.

Q. *Truc de régime ou d'exercice infaillible ?*

R. Je crois que nous sommes tous divinement guidés vers les programmes d'exercice et les régimes alimentaires qui fonctionnent le mieux pour nous. Il n'y a pas de voie unique. Je vous encourage fortement à suivre votre guidance et à apporter à votre régime alimentaire et à votre mode de vie les changements positifs que votre intuition vous inspire.

En ce qui me concerne, c'est un régime végétalien biologique exempt de produits chimiques et une séance quotidienne d'exercices cardiovasculaires qui me conviennent le mieux. Je fais de l'exercice quotidiennement depuis vingt ans, et je suis devenue végétalienne – alimentation sans produits animaux – en 1996. Comme cette combinaison m'aide à garder un niveau d'énergie très élevé, je n'ai pas besoin de caféine ou d'autres drogues. Il n'y a aucun doute que j'ai été aidée par les anges quand je me suis détoxifiée et que j'ai abandonné certains de mes attachements alimentaires maladifs. Les anges aident chacun de nous à régler ce type de problèmes ; nous n'avons qu'à leur demander.

Q. *Porte-bonheur secret / rituel / mantra de chance ?*

R. Je ne crois pas à la « chance » dans le sens où la fortune nous sourit par hasard. Par contre, je crois fermement au pouvoir de la prière, des affirmations et de la visualisation, que je mets en pratique.

Quand j'étais enfant, mes parents m'ont enseigné à canaliser le pouvoir des pensées, des intentions et des émotions positives. Mon père a quitté son travail en ingénierie aérospatiale pour poursuivre la carrière de ses rêves (construire des avions modèles et écrire sur le sujet). Nous avons utilisé la prière, les affirmations et la visualisation pour mettre du pain sur la table, payer les factures et acquérir une nouvelle voiture familiale. Aujourd'hui encore, mes parents sont en excellente santé et mon père commence tout juste à grisonner (il a plus de quatre-vingts ans). À mon avis, ils sont ainsi parce qu'ils ont vécu leurs rêves et refusé les compromis. C'est l'héritage qu'ils m'ont transmis, et je me considère comme très chanceuse d'avoir eu des parents aussi formidables.

Q. *Croyances profondes qui vous aident à tenir le coup quand les choses vont mal?*

R. Ne vous concentrez pas sur le problème apparent : affirmez que la paix, l'ordre et la solution existent derrière l'illusion. Plus vous focalisez votre énergie sur les solutions plutôt que sur les problèmes, plus vous attirez à vous la paix et de merveilleux résultats.

Q. *Rêve secret pour améliorer le monde?*

R. Que chacun comprenne que nous vivons dans un univers d'abondance et que ni la lutte ni la concurrence ne sont nécessaires. Il y a de tout pour tout le monde en abondance et à partager.

Q. *La chose la plus aimante que vous avez faite dernièrement et dont vous n'avez parlé à personne?*

R. Si je vous la confiais, je violerais le pacte que j'ai signé avec moi-même et qui consiste à aider et à donner anonymement. J'avouerai simplement que je donne généreusement. Je suis ma guidance divine intérieure qui m'encourage à donner beaucoup de temps et d'argent. Les anges m'indiquent à quelles organisations et à quelles gens offrir mes dons et autres formes d'aide.

Q. *Si vous pouviez être une déité, qui seriez-vous, et pourquoi ?*

R. Une des raisons pour lesquelles j'aime les déesses et les maîtres ascensionnés est qu'ils représentent nos facettes individuelles en même temps que les aspects du Créateur. Il est donc facile de voir des parties de soi dans les différents dieux et déesses. Selon la situation, je travaille étroitement avec Kali, Lakshmi, Quan Yin, Marie, Ganesh et d'autres déités. Je ne peux donc pas faire de choix.

Q. *Secrets de l'avenir – que savez-vous de l'avenir de notre planète ?*

R. J'ai la même vision depuis longtemps : l'avenir est merveilleux ! Nous retournons à l'Éden, grâce aux enfants Indigo, Cristal et Arc-en-ciel. Ceux-ci s'incarnent comme modèles à suivre et repoussent l'énergie obsolète de concurrence, de conscience du manque et de malhonnêteté, tout en favorisant l'émergence de la nouvelle énergie de coopération, de manifestation et d'intégrité.

Dans le futur, nous manifesterons tous nos besoins, soit grâce à nos capacités innées pour l'alchimie spirituelle, soit en pratiquant un métier qui correspond à nos passions profondes et à nos véritables intérêts. Nous cesserons de manger des aliments transformés ou obtenus par des moyens cruels, et adopterons des régimes alimentaires naturels basés sur la compassion pour les animaux et les végétaux. Les anges m'ont montré que le réchauffement planétaire se traduira par l'avènement d'un climat équatorial partout sur la Terre, avec quantités de plantes luxuriantes et de fruits tropicaux. Nous aurons ainsi de l'air pur. La fonte des calottes glaciaires fournira de l'eau potable. Tout procède selon l'ordre divin. Nous n'avons pas à craindre les changements : au bout du compte, ils s'avéreront tous bons.

LES SECRETS DU MIEUX-ÊTRE

Stephen Langley

Je m'intéresse à la compréhension et au traitement du corps, du mental et de l'esprit. Ayant étudié environ vingt ans, j'ai obtenu des diplômes et licences en naturopathie, phytothérapie, hydrothérapie du côlon, homéopathie, médecine traditionnelle chinoise et psychologie transpersonnelle.

Afin d'étudier les méthodes curatives de plusieurs cultures différentes, j'ai séjourné dans différents pays. J'ai travaillé, entre autres, avec les kahunas (guérisseurs spirituels de Kauai, dans l'archipel des Hawaï), les lamas tibétains, et les moines zen au Japon.

J'ai aussi séjourné chez un peuple ancien, très en santé, qui vit au Cachemire, une région de la chaîne de l'Himalaya où la longévité humaine est la plus grande au monde. J'ai appris beaucoup de choses sur les aliments et l'eau dont ces gens se nourrissent. Le secret n'est pas tant «ce que nous mangeons ou buvons», mais plutôt «ce que nous absorbons». En vieillissant, nous devons nous attacher à maximiser l'absorption de la nourriture, autant par rapport au type d'aliments consommés qu'à l'eau que nous tenons pour acquise.

Quand les choses vont mal, je me détends complètement et je médite. Je m'efforce de retourner à mon véritable centre; la bonne réponse ou la bonne voie finissent immanquablement par émerger. Je pratique une forme de méditation zen rapide et sans détour, qui m'a été enseignée lors d'un séjour dans un monastère zen à Kyoto, au Japon. Il s'agit de respirer de façon rythmée et de faire le vide dans son esprit en se concentrant sur un point situé à environ un mètre devant soi.

Mon plus grand bonheur me vient quand je communie avec la nature. J'aime marcher pieds nus dans l'herbe, là où je me trouve, et écouter le cœur de la terre battre.

Tout ce qui contribue à nous conscientiser m'inspire. Je crois que nous sommes tous ici pour apprendre et grandir, et que nous sommes tous responsables de ce qui nous arrive par l'entremise de notre conscience individuelle.

Je porte l'intérêt le plus vif à l'expérience de la transcendance ou éveil spirituel. Mes études en psychologie transpersonnelle m'ont conduit à interviewer un certain nombre de personnes et à documenter leur expérience ; elles étaient certaines que leur « mutation » spirituelle, ou « changement de conscience », leur avait permis d'entrer en rémission complète de leur cancer. Selon moi, c'est une preuve supplémentaire de notre nature d'êtres spirituels vivant dans un monde matériel, essentiellement homéopathique : nous obtenons ce que nous sommes, pas ce que nous croyons vouloir.

Le spirituel modifie ou influence notre mode de pensée (mental).

Notre mode de pensée modifie ou influence notre ressenti (émotions).

Notre ressenti modifie ou influence notre organisme (physique).

Toute maladie est donc essentiellement une manifestation du mental de l'être humain sur un certain plan. L'organisme se conforme au spirituel.

Pour résumer brièvement, notre état de santé est donc :

- régi spirituellement ;
- orienté chimiquement / en matière d'hormones ;
- manifesté biologiquement/physiquement.

. . . .

Dawn Breslin

Voici mon secret pour me sentir remarquablement bien : me permettre de ne rien faire quand j'ai beaucoup à faire.

. . . .

Jane Alexander

Comme la majorité des femmes dans la quarantaine, je suis une jongleuse. J'écris sur la santé holistique et la spiritualité contemporaine, tout en faisant de mon mieux pour être la meilleure épouse, mère, fille et amie qui soit… Quand il me reste un peu de temps, j'essaie de soigner mon corps et de donner de l'expansion à mon âme. Si je pouvais être une déité, j'aimerais à coup sûr incarner une déesse hindoue avec une paire de mains supplémentaire !

Mon premier souvenir est celui d'une haie : du feuillage foncé et des centaines de petits cocons. Ma mère était sidérée que je m'en souvienne, car, apparemment, la haie a été rasée quand j'avais environ huit mois. Aujourd'hui, quand j'y pense, je considère ce souvenir comme assez représentatif de ma vie, puisque j'ai toujours cherché le moyen d'aller à l'intérieur pour me transformer ; le cocon a donc été – et est encore – un puissant symbole pour moi. Je crois réellement que pour grandir, nous devons d'abord traverser des étapes où il nous faut presque toujours nous désagréger et « tomber en morceaux ». La spiritualité ne signifie pas toujours lumière et vivacité ; elle impose aussi des périodes de désespoir intense, tout aussi essentielles.

Cela dit, je suis d'avis qu'il est important de voir ce qu'il y a de positif dans le quotidien. Chaque soir avant de m'endormir, je fais une liste de 10 choses qui se sont produites durant la journée pour lesquelles je suis reconnaissante. Cet exercice me fait toujours sourire (et parfois pleurer) ; c'est la seule pratique que je recommande, car elle contribue à bannir la dépression, l'anxiété et l'envie mieux que n'importe quoi d'autre. Elle incite à se concentrer sur ce qu'on possède déjà, plutôt que sur ce qu'on croit vouloir. Elle ancre dans le présent et fait voir le bon côté de la vie. Elle contribue aussi à faire comprendre que dans l'ensemble, ce sont les gens, non les possessions, qui sont importants. Je me rends compte que je ne ressens jamais de reconnaissance particulière pour une paire de chaussures à la mode ou un nouveau collier. Par contre, j'en ressens *énormément* pour ma famille, ma santé, le toit audessus de ma tête et la beauté du monde qui m'entoure. Je suis aussi reconnaissante pour toutes ces petites choses qui rendent la vie attrayante : les feuilles qui changent de couleur, la nouvelle cascade créée par une pluie torrentielle, un chien tout chaud couché sur mes genoux, un petit garçon qui se précipite dans mes bras, un doux baiser de mon époux. Ce sont là les choses qui me rendent le plus heureuse.

Quand je veux me dorloter, j'ai une gâterie secrète : je me fais masser. J'aime toutes les formes de massothérapie, mais mes préférées sont le massage chavutti-thirumal, le massage thaïlandais, le Trager, et toutes les formes de travail en profondeur sur les tissus. Je considère que la massothérapie est une forme de travail corporel qui s'adresse autant au corps qu'à l'esprit ; les souvenirs et la douleur (physique et émotionnelle) étant emmagasinés dans les muscles, les fascias et les os, elles peuvent être libérées par une manipulation experte ou un bon massage. C'est comme une thérapie, mais sans qu'il soit nécessaire de dire un mot.

Deepak Chopra

Les 10 clés du bonheur

1. Écoutez la sagesse de votre corps, qui s'exprime à travers des signaux de confort et d'inconfort. En choisissant un certain comportement, demandez à votre corps comment il se sent. S'il vous envoie un signal de détresse physique ou émotionnelle, prenez garde. S'il émet un signal de confort et d'excitation, allez de l'avant.

2. Vivez le moment présent : c'est le seul que vous avez. Restez attentif à ce qui est ici et maintenant ; recherchez la plénitude dans chaque instant. Acceptez complètement et totalement ce qui vient à vous, de

manière à l'apprécier à sa juste valeur, à en tirer une leçon et, ensuite, à le laisser aller. Le présent est tel qu'il doit être. Il reflète les lois infinies de la nature qui vous ont fait avoir cette pensée en particulier, cette réponse physique précise. Le moment est tel parce que l'univers est tel. Ne luttez pas contre l'ordre infini des choses ; unissez-vous plutôt à lui.

3. Prenez le temps de faire silence, de méditer, de faire taire le dialogue intérieur. Dans les moments de silence, prenez conscience que vous retournez à la source de votre conscience la plus pure. Portez attention à votre vie intérieure, afin d'être guidé par votre intuition, plutôt que par les interprétations imposées par l'extérieur quant à ce qui est bon ou mauvais pour vous.

4. Délestez-vous du besoin d'obtenir l'approbation de l'extérieur. Vous êtes le seul juge de votre valeur, et votre but consiste à découvrir la richesse infinie qui est la vôtre, indépendamment de ce que le reste du monde en pense. La compréhension de cette clé procure une grande liberté.

5. Quand vous vous rendez compte que vous réagissez par la colère ou l'opposition face à une personne ou à une situation, prenez conscience que c'est avec vous-même que vous luttez. Quand vous résistez, vous vous servez de défenses érigées en réponse à d'anciennes blessures. En lâchant prise sur votre colère, vous vous guérirez et coopérerez avec le flot de l'Univers.

6. Restez conscient que le monde « extérieur » reflète votre réalité « intérieure ». Les gens qui suscitent en

vous des réactions intenses, qu'elles soient d'amour ou de colère, sont des projections de votre monde intérieur. Ce que vous détestez le plus reflète ce que vous niez le plus en vous-même. Ce que vous aimez le plus reflète ce que vous voulez le plus pour vous-même. Servez-vous du miroir de vos relations comme d'un guide pour votre évolution, afin d'apprendre à vous connaître parfaitement. Une fois que vous y serez parvenu, vous aurez acquis ce que vous voulez le plus, et ce que vous aimez le moins disparaîtra.

7. Laissez tomber le fardeau du jugement, vous vous sentirez tellement plus léger. Le jugement colore en bien ou en mal des situations qui sont simplement ce qu'elles sont. Tout peut être compris et pardonné ; or, en jugeant, vous vous fermez à la compréhension et mettez un frein au processus d'apprentissage de l'amour. Le jugement que vous portez sur autrui reflète un manque d'acceptation de vous-même. Souvenez-vous que vous accroissez l'amour que vous vous portez chaque fois que vous pardonnez à quelqu'un d'autre.

8. Ne contaminez pas votre organisme avec des toxines, qu'il s'agisse d'aliments, de boissons ou d'émotions toxiques. Votre corps est bien plus qu'un système de protection de la vie. C'est le véhicule grâce auquel vous traversez l'aventure de votre évolution. La santé de chaque cellule contribue directement à votre état de bien-être, car chacune est un point de conscience dans le champ de conscience qui compose votre être.

9. Remplacez les comportements issus de la peur par des comportements motivés par l'amour. La peur est le produit du souvenir, qui vient du passé. En nous

remémorant une souffrance ancienne, nous orientons nos énergies de manière à éviter qu'elle se répète, mais tenter d'imposer le passé au présent ne fera jamais disparaître la menace d'être blessés. La seule façon d'y arriver consiste à trouver votre sécurité dans votre être intérieur, qui est amour. Motivé par votre vérité personnelle, vous pourrez affronter n'importe quelle menace, puisque votre force intérieure est invulnérable à la peur.

10. Comprenez que le monde physique est tout simplement le reflet d'une intelligence plus profonde. Cette intelligence est l'organisatrice invisible de toute matière et de toute énergie ; comme une portion de celle-ci vous habite, vous partagez avec elle le pouvoir organisateur du Cosmos. Vous êtes inextricablement lié à tout ce qui est, vous ne pouvez donc vous permettre de souiller l'air et l'eau de la planète. Et sur un plan plus profond, vous ne pouvez pas non plus vous permettre de vivre avec un mental toxique, car chaque pensée crée une impression dans le champ global de l'intelligence. Vivre dans l'équilibre et la pureté représente le bien le plus élevé pour vous et pour la Terre.

• •

Sarah Bartlett

Q. *Signe astrologique et autres influences planétaires ?*

R. Gémeaux avec une folle conjonction de la Lune et d'Uranus en Cancer, au carré d'une conjonction de Saturne et de Neptune en Balance, avec Chiron en opposition.

Comme tout le monde, j'ai plusieurs facettes, à savoir de bonnes et de moins bonnes. En voici une que je partagerai avec vous : dans ma carte du ciel, la conjonction de la Lune et d'Uranus révèle que j'aime la liberté. Je déteste me sentir entravée par des restrictions et j'aime que mes activités soient variées. Je suis une personne agitée : je déteste la vie casanière, les routines et les racines. Une partie de moi veut bien de ce sentiment d'appartenance et souhaite une maison et la sécurité, mais une autre ressent tout simplement le besoin de partir pour ailleurs. La Lune désire appartenir, s'attacher à quelqu'un ou à quelque chose ; Uranus, non. Ajoutez à cela le caractère effervescent du Gémeaux et un ascendant Sagittaire, amateur de voyages, et vous comprendrez que je suis plus difficile à attraper qu'un moustique.

Mon mode de vie plutôt non conventionnel me permet de composer avec ce côté de ma personnalité. Je suis devenue astrologue parce que l'astrologie est pleine de polarités, ce qui illustre bien la nature fondamentale du thème Lune/Uranus. C'est simple : j'aime les paradoxes.

Q. *Possession favorite ?*

R. J'aime beaucoup Gulliver, mon vieux poupon de chiffon, aujourd'hui déguenillé et sans visage. C'est un ancien mage qui me l'a donné, un professeur âgé qui habitait une grande maison étrange aux abords de Cambridge. Je l'avais surnommé « docteur La Trouille ». J'avais six ans quand je suis allée lui rendre visite avec mes parents. Je crois qu'il m'a donné Gulliver parce qu'il savait que j'étais une âme sœur.

Gulliver est très singulier : il cache au fond de son regard invisible le secret de tous les secrets. Quand vous le regardez, vous voyez ce que vous voulez voir, puisqu'il est le miroir de votre vérité personnelle. Nous avons beaucoup voyagé ensemble.

Q. *Que savez-vous de l'avenir de notre planète ?*

R. Secrets de l'avenir ? Eh bien, je pourrais le demander à Gulliver ! Mais il répondrait probablement que l'avenir est le plus grand de tous les secrets et qu'il vaut mieux le laisser se révéler de lui-même. Les secrets et les mystères sont là pour nous déconcerter, nous faire réfléchir et chercher des réponses ou des vérités pour notre propre compte. La manière dont vous vous y prenez pour dévoiler un secret en dit bien plus à votre sujet que le secret lui-même. Cela ne signifie pas nécessairement que nous soyons obligés de découvrir la vérité. L'invisible est simplement ce qu'il est. Et pourtant, nous virevoltons, anxieux de découvrir ce que l'avenir nous réserve. Peut-être vaut-il mieux accepter que ce qui est caché reste caché. L'inconnu est inconnu et les secrets resteront toujours des secrets.

Malgré tout, nous persistons à chercher des réponses, puisque nous acquérons immédiatement une certaine forme de pouvoir quand nous sommes les seuls à connaître un secret. C'est très dangereux, en particulier dans des professions comme l'astrologie qui semblent « voir dans l'avenir », du moins en apparence.

L'astrologie étudie n'importe quel moment dans le temps, passé, présent ou futur. Or ce moment reflète juste son propre potentiel, pas nécessairement ce qui est manifeste. Aussi, pour répondre à la question, je dirais que je ne sais pas où s'en va le monde, mais que je crois que nous avançons sur le chemin que nous construisons nous-mêmes. Voilà le secret.

. . . .

Fiona Harrold

Mon plus grand bonheur, c'est de voir les gens faire fructifier leur potentiel et assumer la responsabilité de leur propre bonheur. Quand ils agissent ainsi, le monde devient un endroit plus heureux, où chacun assume ses responsabilités, plutôt que de blâmer les autres ou d'attendre que le gouvernement ou quelqu'un d'autre change les choses à sa place. En faisant du ménage dans leur vie, les gens deviennent capables d'apporter quelque chose aux autres et au monde en général. Les gens pauvres qui méprisent leur vie ne sont pas en état d'apporter quoi que ce soit à qui que ce soit, surtout à eux-mêmes. J'aime quand les gens mettent de l'ordre dans leur vie et font ce qu'ils doivent faire. C'est une bonne façon de vivre.

Mon mantra est : « Je vais m'en occuper ». Cette phrase dissipe toute peur qui pourrait naître en moi face à ma vie. Quand je m'inquiète soudainement des factures à payer, ou de quoi que ce soit d'autre, je calme immédiatement cette peur ou cette épouvante en me rappelant que je vais m'en occuper. Quoi qu'il arrive, quelle que soit la situation, je vais m'en occuper.

LES SECRETS DE LA SANTÉ ET DE LA GUÉRISON

· ·

Susan Phoenix

Une nuit, je me suis réveillée et j'ai senti un champ de force énergétique incroyable autour de mon corps, un peu comme si mon amoureux me tenait tendrement dans ses bras. Comme mon mari avait été tué trois ans auparavant, c'était physiquement impossible. Une fois que j'ai commencé à me détendre et à comprendre le phénomène, j'ai pris conscience qu'une autre énergie interagissait avec la mienne. C'était merveilleux de savoir que l'énergie de l'âme peut continuer à se faire sentir dans les moments où sa présence est nécessaire (j'étais extrêmement déprimée à l'époque).

Cette expérience a marqué le début de ma recherche sur les champs énergétiques. Pendant que j'étudiais les techniques d'ascension avec Diana Cooper, j'avais été en contact avec la présence angélique, mais je n'avais jamais réfléchi aux raisons scientifiques de ce type de vibrations dans notre environnement. Bien entendu, dans la vie, tout est force énergétique, sous une forme ou une autre ; ces molécules à l'état vibratoire dont on nous a parlé à l'école sont maintenant en train de nous montrer ce dont elles sont capables. L'Univers tente indubitablement de communiquer avec ce nouvel âge, et il est prêt à passer outre les canaux traditionnels des médiums et des clairvoyants pour nous permettre de sentir et, à un moment donné, de voir par nous-mêmes.

L'esprit de mon mari m'a demandé de produire des «preuves» afin que le monde comprenne ce beau champ d'énergie qui nous entoure et qui est en mesure de nous apprendre tant de choses profitables. L'appareil-photo aurique a été l'un des premiers outils dont je me suis servie pour démontrer comment le champ énergétique humain absorbe les énergies périphériques d'autres êtres humains, des cristaux et des huiles essentielles.

Fait encore plus surprenant, nous pouvons modifier notre aura en faisant appel à l'énergie d'un être aimé ou à la pure énergie angélique des «autres dimensions». De très beaux changements, captés par les appareils-photos et les récepteurs, se produisent alors dans le champ aurique. La présence spirituelle d'êtres chers aujourd'hui décédés se manifeste souvent près de mes clients comme une sphère blanche et, à l'occasion, comme une forme allongée. Les anges expriment des couleurs différentes : l'archange Michaël produit un beau rayon bleu, alors que le rayon curatif émeraude de l'archange Raphaël apparaît souvent dans les photos auriques de personnes qui ont davantage besoin d'une guérison physique.

Quant aux personnes qui ne croient pas qu'elles peuvent demander pour leur compte l'aide des énergies extérieures, c'est un plaisir de voir leur surprise devant le résultat d'une deuxième photo aurique prise après une session curative de cinq minutes ou une courte méditation. L'aura absorbe les vibrations relaxantes dispensées par le Cosmos et la pression sanguine diminue d'autant. C'est comme enregistrer le meilleur de la santé holistique.

Un de mes rêves serait de permettre à tous les êtres de cette planète d'accéder aux pouvoirs curatifs de leur âme, à mesure qu'ils apprennent à interagir avec les autres dimensions de façon sécuritaire et paisible, sans peur et sans produits chimiques.

· ·

Hamilton Harris

Moyen secret pour vous dorloter ou vous guérir qui vous fait sentir remarquablement bien

BAIN NETTOYANT À L'ŒILLET ET À LA CANNELLE

Ingrédients :

– 10 œillets blancs
– eau de Floride (Florida Water)
– eau de rose
– cannelle en poudre

1. Remplissez votre baignoire à moitié en veillant à ce que l'eau soit à une température qui convient à votre corps.

2. Détachez les œillets de leur tige et répandez leurs pétales dans l'eau.

3. Ajoutez l'eau de Floride et l'eau de rose, ainsi que 60 ml (4 c. à table) de cannelle.

4. Laissez infuser cinq minutes.

5. Allumez une chandelle rose pour une visualisation curative, puis entrez dans l'eau et immergez-vous de la tête aux pieds pour nettoyer vos énergies et vous guérir.

. . . .

Gloria Thomas

À nul autre moment de l'histoire de l'humanité, les gens n'ont été si coupés de leur être véritable comme c'est le cas actuellement. Ce clivage provient en grande partie du conditionnement de la culture occidentale. Nous manquons d'éducation quant à la puissance et au potentiel de notre esprit, ce qui entraîne une absence totale de communication avec la partie la plus importante de celui-ci, qui est inconsciente. La conséquence de cette absence de conscience est une disharmonie du corps, de l'âme et de l'esprit, et ce, dans des proportions épidémiques. Pourtant, le pouvoir et le potentiel présents sont là pour être exploités.

L'un de mes outils préférés est mon intuition, une habileté naturelle qui ne cesse de m'éblouir et de m'étonner, et que j'ai mis bien du temps à comprendre.

La programmation neurolinguistique nous enseigne que nous avons tous la même neurologie ; nous pouvons donc faire tout ce que les autres font. C'est avec cette révélation en tête et pour répondre à une fascination de longue date pour les études sur les facultés psychiques que j'ai décidé d'apprendre comment fonctionnent les mystiques et les médiums.

Nous n'exprimons que 7% de nos communications en mots; 38% passent par notre ton et 55%, par notre langage corporel. J'ai donc entrepris de découvrir comment me servir de mes sens pour syntoniser, à l'instar d'un poste de radio, ce qui se passe sous la surface de l'état d'esprit ou de la condition physique des gens.

Je me suis questionnée pour découvrir ce que je dois savoir de plus, dans mes traitements, pour obtenir l'information qui me permettra d'orienter le processus de transformation ou de guérison de mes clients. Grâce à des pratiques méditatives et en syntonisant les différents chakras (centres d'énergie du corps), je reçois maintenant l'information en mots, en sensations et en images.

Cette façon de procéder m'offre – et offre au client – des indices remarquables sur ce qui se passe réellement. Cette clarté limpide contribue énormément au changement, à la guérison et à la transformation. En découvrant cette habileté toute simple, je me suis demandé ce que nous pourrions exploiter d'autre pour nous aider et nous soutenir dans notre croissance et notre guérison. Probablement un grand nombre de choses…

Samantha Hamilton

MÉDITATION SUR LES RAYONS DE LUMIÈRE COLORÉE POUR NETTOYER LES CHAKRAS ET GUÉRIR LE CORPS

1. Installez-vous dans un endroit calme et confortable. Débranchez le téléphone. Asseyez-vous, fermez les yeux et imaginez que vous sortez d'un temple pour aller marcher dans un très beau jardin, en suivant un ruisseau d'un bleu cristallin. L'environnement est magnifique : le ciel est d'un bleu radieux, le soleil vous réchauffe de ses rayons et un zéphyr agite mollement l'air ambiant.

2. Visualisez maintenant Raphaël, l'ange de la guérison. Sentez sa présence curative qui se manifeste par les couleurs de l'arc-en-ciel, présentes en abondance.

3. Choisissez pour votre autoguérison une couleur qui vous attire. Pour faciliter votre choix, visualisez un arc-en-ciel de couleurs tout autour de vous et sentez les sept couleurs du spectre. La couleur qui vous attire le plus sera votre guide durant cette méditation.

4. En levant les yeux vers le ciel clair, visualisez quelques nuages blancs. Imaginez que vous flottez là-haut avec eux. Choisissez-en un et remplissez-le de vos énergies curatives intérieures ; sentez-le devenir vous. Voyez-le étinceler de lumière et sentez sa chaude énergie.

5. Visualisez Raphaël au-dessus des nuages : il vous prend et vous tient dans ses bras pendant que vous

vous immergez dans les énergies curatives de la couleur que vous avez choisie.

6. Sentez le zéphyr caresser votre épiderme, vous entourer et vous envelopper. Il devient une partie de vous, comme une seconde peau, et nettoie votre courant sanguin. La vibration curative vous permet de vous abandonner complètement à un état de détente profonde.

7. Laissez la couleur se diffuser dans votre corps pendant au moins cinq minutes et vous apporter un sentiment de complétude.

8. Laissez les pores de votre épiderme s'ouvrir à la guérison et relâcher les toxines.

9. Votre autoguérison complétée, reposez-vous quelques minutes, le corps, l'âme et l'esprit nettoyés. Avant d'ouvrir les yeux, respirez profondément trois fois, en imprégnant chaque expiration de paix.

• •

Kate West

Une de mes amies, malade depuis longtemps, venait d'être orientée vers un spécialiste des maladies tropicales. Même si elle n'avait pas demandé à être guérie, ce soir-là, mon partenaire et moi avons exercé un charme.

À l'intérieur du cercle, nous avons gravé son nom et son signe astrologique sur une chandelle bleue. Nous avons ensuite oint la chandelle d'huile de lavande, puis nous l'avons allumée. Pendant qu'elle se consumait, nous avons visualisé la guérison enveloppant mon amie et la libérant de toute maladie.

Le lendemain matin, les symptômes de la maladie avaient entièrement disparu.

• •

William Bloom

MÉDITATION DE L'ÂME
DANS SON TEMPLE

Je pratique cette méditation quelques fois par jour, en particulier quand je me réveille et avant de m'endormir.

Vous pouvez vous asseoir ou vous allonger. Adoptez simplement une position confortable et détendez-vous le plus possible.

Adoucissez votre regard.
Ouvrez votre cœur.
Concentrez-vous vers l'intérieur de votre corps.

Laissez votre poitrine et votre abdomen se détendre et s'abaisser.

Baissez légèrement les yeux et observez l'intérieur de votre corps.
Comme un ami affectueux qui prend soin d'un enfant, examinez votre corps pour savoir comment il se sent.
Soyez amical et bienveillant envers lui.
Faites preuve de la plus grande compassion possible.

Accueillez chaque tension, chaque douleur, avec amitié et acceptation.

Vous envoyez ainsi des messages cruciaux à votre système nerveux qui y répond en sécrétant des endorphines, en ouvrant les tissus et en favorisant un travail efficace des agents curatifs de votre organisme.

Sur le plan spirituel, pour emprunter le langage traditionnel, cette méditation aide votre âme – noyau bienveillant de votre conscience – à pénétrer et à s'incarner dans son temple, votre corps physique.

Cassandra Eason

Voici un truc dont je me sers quand je souffre de la vésicule biliaire, ce qui m'arrive souvent quand je voyage et que je dois sauter des repas ou me contenter de collations. Même si je ne leur ai jamais dit, je m'en sers également pour calmer mes enfants et les libérer de leurs douleurs, comme les maux de tête ou d'oreille. Je l'applique régulièrement à Jenny, la doyenne de mes chattes, qui a près de 18 ans, est très usée et déteste les vétérinaires.

Je touche d'abord l'endroit ou la périphérie de l'endroit où se loge la douleur ou l'inconfort avec le bout des doigts de ma main de pouvoir, celle avec laquelle j'écris. Ensuite, en tournant ma main vers l'extérieur, doigts joints et paume à la verticale, je fais un mouvement très doux pour éloigner la douleur.

En même temps, je prononce intérieurement la phrase suivante : « *Éloigne-toi de moi, écarte-toi de moi (ou je nomme la personne visée), laisse seulement l'harmonie derrière toi.* » Les gens s'imaginent simplement que je fais un mouvement en parlant, mais en réalité, je repousse la douleur.

. . . .

Caroline Shola Arewa

Se créer une vie équilibrée

Le secret que je souhaite partager avec vous découle du travail d'épanouissement spirituel et personnel que je poursuis depuis plus de vingt ans. J'en suis arrivée à comprendre que « si vous ne créez pas le bien-être dans votre vie, vous créez la maladie ».

Je suis de plus en plus passionnée par mon désir d'aider les gens à créer le succès sans vivre de stress. C'est pour cette raison que j'ai élaboré le concept *EASE* (*Energy, Awareness, Success, Excellence*), une approche énergétique en quatre étapes axée sur un mode de vie équilibré.

APPLICATION DE *EASE* : APPROCHE EN QUATRE ÉTAPES VISANT LA MAÎTRISE DE L'ÉNERGIE ET DE LA CONSCIENCE POUR ATTEINDRE LE SUCCÈS ET L'EXCELLENCE

1. Tout est constitué d'**énergie**, vous y compris.

L'énergie circule à travers les chakras et ces derniers la distribuent dans tout l'organisme. Quand l'énergie diminue, vous vivez de l'épuisement, de la fatigue, du stress et de la maladie. Une énergie équilibrée apporte santé, bonheur et succès. Comment utilisez-vous votre énergie, et comment en abusez-vous?

2. Conscience

Pour créer une vie équilibrée, il faut devenir plus conscient et équilibrer les périodes d'activité et de repos. Cessez de croire que le succès exige de longues heures de travail ardu. Ce n'est pas le cas. Allez-y doucement! La meilleure voie n'est pas celle de la vitesse, de la peur et de l'épuisement. Cette façon de vivre ne fait que drainer l'énergie, engendrant ainsi l'épuisement professionnel, le stress et la maladie. Je vous suggère plutôt de prendre plus de temps pour vous reposer et récupérer, suggestion que la science confirme. Moins, c'est mieux! Que devez-vous changer pour favoriser votre bien-être?

3. Succès

La vie a un mandat unique à vous confier : votre mission divine. Pour mener votre mission à bien, vous devez :

–   utiliser votre énergie de façon efficiente ;
–   développer votre conscience individuelle ;
–   vous sensibiliser à la puissance de l'Univers ;
–   faire preuve de foi.

Ces qualités vous permettront d'obtenir un plus grand succès. Une intelligence infinie est à l'œuvre à travers vous ; quand vous faites confiance à sa puissance, tout devient possible. Vous pouvez moissonner le succès à votre convenance.

4. **L'excellence** devient manifeste une fois que les étapes précédentes ont été franchies, un peu comme lorsqu'on atteint le sommet d'une montagne.

L'excellence est le résultat d'une saine gestion de l'énergie et de la conscience. Elle vous aide à créer la meilleure version de vous-même, le meilleur travail et la meilleure vie.

Quand vous avez plus d'énergie pour vous propulser qu'il y en a pour vous retenir, le succès est à la portée de votre main. Vous travaillez alors avec la puissance universelle qui vous régit afin de manifester votre destin. Chacune de vos respirations et chacun de vos mouvements déterminent votre avenir. Qu'êtes-vous en train de créer à l'instant même dans votre vie? N'oubliez pas : si vous ne créez pas le bien-être, vous créez la maladie!

William Bloom

Voici une très belle méditation qui enracine dans votre corps ce que certaines personnes appellent les «champs de béatitude», le «Christ cosmique» ou le «Nirvana». Elle fait partie de ma pratique quotidienne, et je la considère comme essentielle à ma santé. De plus, elle me garde conscient de ma connexion avec la merveille de toute vie.

MÉDITATION CURATIVE D'ENRACINEMENT DE LA CONNEXION AVEC TOUTE VIE

Asseyez-vous et prenez le temps d'entrer dans un espace de calme intérieur. Parfois, cela peut prendre jusqu'à vingt minutes. Contentez-vous d'attendre patiemment, de permettre à votre mental de faire ce qu'il a à faire pour ensuite le guider vers un état de calme et de relaxation.

Pour commencer, restez entièrement concentré sur l'intérieur de votre corps. Observez comment vous vous sentez. Invitez doucement votre mental à devenir attentif, bienveillant et plein de compassion. Ouvrez votre cœur et efforcez-vous d'instaurer en vous une attitude et une énergie aimantes.

Prenez ensuite conscience de l'immensité de l'espace environnant — au-dessus, au-dessous et tout autour de vous. Prenez conscience de vous sur la Terre. De la Terre qui flotte dans l'espace. Du système solaire. De la galaxie. De l'ensemble du Cosmos et de l'espace infini au-delà.

Gardez votre corps détendu. Restez centré et enraciné.

Invitez ensuite chaque cellule de votre corps à devenir comme une éponge réceptive ou un réflecteur parabolique de radar. Acceptez que votre corps reçoive la vitalité et la bienveillance curatives qui imprègnent le cosmos. Laissez chaque cellule de votre corps sentir et ressentir la merveille de toute vie. Ressentez cette infusion comme un champ énergétique tangible qui pénètre tous les aspects de votre corps et de votre psyché. Laissez cette sensation de bienveillance pénétrer profondément en vous, jusque dans la moelle de vos os, dans votre moelle épinière et votre cerveau.

Poursuivez l'expérience aussi longtemps que vous le souhaitez. Ensuite, assurez-vous de ramener entièrement votre conscience et votre concentration dans votre corps. Centrez-vous et enracinez-vous. Puis, étirez-vous et passez à autre chose.

TRUCS DE RÉGIME ET D'EXERCICE

William Bloom

Pour moi comme pour la majorité des gens, commencer la journée en buvant un demi-litre d'eau chaude s'avère excellent. Je ne déjeune pas en me levant; j'attends deux heures après m'être réveillé et activé.

Au risque d'énoncer une évidence, le véritable truc pour ce qui est de l'exercice consiste à en faire! Ne vous contentez pas d'y penser : agissez!

Cela signifie de garder votre corps en mouvement à partir du moment où vous vous réveillez. Nous n'avons pas été conçus pour ne rien faire ou rester assis devant un bureau toute la journée. Au minimum, vous devriez vous activer au moins une heure par jour, même si vous n'accomplissez que des tâches ménagères. À mon avis, faire le ménage constitue une occasion de faire de l'exercice! Il faut aussi adopter une bonne attitude en le faisant. Si vous travaillez dans un bureau, levez-vous, étirez-vous et faites quelques pas toutes les demi-heures.

Voici un autre excellent truc : étirez-vous en marchant. Toute personne ayant pratiqué le yoga, le qi gong ou la technique Alexander sait que ce qui importe, c'est le sentiment d'*expansion* dans le corps. Aussi, essayez de marcher en ayant la sensation que toutes les parties de votre corps s'ouvrent et prennent de l'expansion.

Établissez également un équilibre dans votre pratique de l'exercice : mélangez l'aérobie, les étirements et les poids. Je m'entraîne au gymnase deux fois par semaine et je m'étire chaque jour. Prendre soin de mon corps améliore incontestablement la qualité de ma vie.

Jane Alexander

Le meilleur truc que je puisse donner en matière d'exercice consiste à vous conseiller d'investir dans l'achat d'un petit trampoline et de l'installer devant votre téléviseur. Rebondissez en regardant les informations, votre feuilleton préféré, ou au moment des pauses publicitaires. Rebondir sur un trampoline est un excellent exercice aérobique, d'autant plus qu'il ne stresse pas les articulations et qu'il stimule le système lymphatique. De plus, c'est très amusant – un facteur essentiel pour tout exercice que vous voulez continuer à pratiquer longtemps et avec plaisir !

Laura Berridge

Soumettez-vous d'abord à un test de tolérance aux aliments, puis combinez les résultats avec les données qui s'appliquent à vous selon les doshas de la médecine ayurvédique. Par la suite, n'achetez que les aliments qui vous sont bénéfiques.

–   Sélectionnez dans des livres de recettes environ 50 recettes de base que vous aimez, compatibles avec votre dosha. Vous disposerez toujours de repas sains, faciles et agréables à manger; vous ne vivrez pas de stress et vous aurez moins tendance à consommer de la malbouffe ou des sucreries.

– Pour maintenir le niveau d'énergie et le métabolisme de votre corps, veillez à prendre des portions et des repas réguliers.

– Pratiquez uniquement des formes d'exercices qui vous apportent de la joie; autrement, vous vous envoyez des messages négatifs... et c'est ainsi que les problèmes commencent.

Jon Sandifer

J'ai adopté le régime macrobiotique à l'âge de 23 ans. J'avais visité environ 52 pays, mangé la nourriture locale, surtout dans les pays en voie de développement, et fait le lien entre consommer des aliments saisonniers locaux et me sentir en harmonie avec mon environnement. Le régime macrobiotique soutient ce principe. J'aime encore manger des aliments macrobiotiques de qualité – riz brun, légumineuses, légumes marins, miso, poissons, marinades et fruits de saison –, mais ce que j'ai appris et que j'apprécie vraiment à sa juste valeur, c'est l'importance de la mastication.

Le processus de la digestion commence dans la bouche : si vous ne prenez pas le temps de bien mâcher vos aliments, il est évident que vous ne les digérerez pas bien non plus. Le même principe s'applique à la vie de façon métaphorique. En termes simples : ne vous précipitez dans rien. Mastiquez bien les choses. Si vous entendez parler d'une nouvelle idée, mâchez-la bien avant de la mettre en pratique. Il arrive qu'on soit placé devant une chose avec laquelle on n'est pas nécessairement d'accord *a priori* ; après l'avoir bien mâchée, pour continuer la métaphore, on y trouvera peut-être quelque chose de valable.

Judi James

Je pourrais écrire un livre sur les régimes ! Je mesure 1,73 mètre et je porte des vêtements de taille 8. J'ai dû surveiller mon poids pendant toute ma longue carrière de mannequin ; je peux donc dire que je sais de quoi je parle.

Le seul bon régime est l'absence de régime. Sur le plan émotionnel, la pression engendrée par le fait « d'être au régime » est énorme, beaucoup trop intense pour qu'on puisse y faire face. Par ailleurs, cette pression suggère au subconscient soit qu'on « suit un régime », soit qu'on l'a abandonné, ce qui déclenche des crises de boulimie. J'ai maigri à partir du moment où j'ai cessé d'être au régime.

Aujourd'hui, je mange pour ma santé ; je n'ai donc ni bons ni mauvais jours, puisque je mange uniquement ce que je sais être bon pour moi. Il est étonnant de constater à quel point l'obsession de la nourriture disparaît rapidement. J'ai d'ailleurs cessé de me peser quand j'ai cessé de suivre un régime, parce que le pèse-personne peut aussi devenir une obsession.

Chez les personnes qui souhaitent maigrir, le principal problème est qu'elles n'ont pas d'idée précise quant au but à atteindre. Pour en arriver à réaliser de grandes choses dans la vie, il faut d'abord savoir quel est le but poursuivi avant de se lancer. Les personnes qui souhaitent maigrir croient qu'elles veulent simplement être minces ; or, ce n'est pas le cas, et c'est ce qui fait qu'elles reprennent souvent le poids perdu. Elles veulent être minces, mais en mangeant tout ce qu'elles veulent, autant qu'elles le veulent : voilà leur véritable but. Je le sais parce que je suis passée par là. Être mince n'est pas suffisant : nous voulons être minces, manger des tonnes de nourriture et ne jamais prendre un gramme.

Vous avez donc deux choix : changez votre façon de penser, cessez de vous préoccuper de vos kilos en trop et prenez du plaisir à manger ce qui vous tente, ou organisez votre vie de manière qu'elle soit plus occupée et plus frénétique. Vous dépenserez ainsi plus d'adrénaline et brûlerez plus rapidement les calories ingurgitées, tout en remplissant votre existence d'autres préoccupations.

* *

Fiona Harrold

Selon moi, le secret essentiel pour garder la forme consiste à rendre sa vie excitante et intéressante, et à l'organiser de manière qu'elle fonctionne bien. Dans bien des cas, on n'a pas besoin d'un régime, mais de changer sa vie, d'en améliorer certaines facettes. Souvent, on mange trop parce qu'on est malheureux ou qu'on s'ennuie : la nourriture n'a rien à voir avec la faim, mais sert plutôt à pallier un sentiment d'irritation ou de vide. Pour garder la forme, plutôt que d'entretenir une obsession par rapport à la nourriture, la meilleure chose à faire consiste à se ressourcer et à se nourrir en vivant une existence excitante et remplie de défis, à se dépasser et à sécréter de l'adrénaline.

· ·

Simon Brown

Guérir grâce à l'énergie des aliments

L'énergie émotionnelle qu'on appelle le « chi » circule à travers tous nos corps. Le chi fluctue selon l'heure de la journée, la température et, surtout, la nourriture que nous consommons. En plus de l'importance évidente du contenu nutritionnel des aliments, il convient de tenir compte de l'énergie vitale de ce que vous mangez. Tout aliment que vous ingérez change votre énergie de l'intérieur, comme le shiatsu et l'acupuncture le font de l'extérieur.

Observez dans quel sens poussent les aliments, comment ils vivent et comment on les cuisine.

Pour aider votre énergie à circuler vers le haut, dans votre poitrine et votre cerveau, mangez des légumes-feuilles verts. Comme ils poussent vers le bas, les légumes-racines feront circuler votre énergie vers le bas, dans vos intestins et vos jambes.

Regardez ensuite à quel stade de son cycle de vie se situe l'aliment. Tout ce qui est au début – céréales entières, noix et graines – donnera une énergie jeune, vibrante et curieuse. Dans le cas des aliments anciens comme les crustacés et les légumes marins, l'énergie sera primaire et vitale.

Les aliments plus matures – légumes à maturité, viandes et poissons – offriront une énergie d'expérience et d'instinct de survie. Le poulet contribuera à vous fournir une énergie nerveuse, vive et rapide, alors que le saumon sauvage, qui remonte le courant, vous donnera le sentiment d'aller à contre-courant, de trouver votre propre voie dans la vie. Consommez la viande d'un animal ayant vagabondé dans la campagne et vous absorberez la capacité de faire face aux défis.

L'émotion ressentie par l'animal au moment où il est abattu est importante. Si elle est négative, le stress et la peur imprégnés dans la viande vous seront transmis quand vous la consommerez. Il est donc toujours préférable de privilégier les aliments provenant d'élevages biologiques plutôt que conventionnels.

Par ailleurs, la préparation des aliments modifie beaucoup leur énergie. La cuisson à la vapeur est une énergie ascendante. La cuisson au four ou sous pression apporte davantage de force intérieure. La cuisson à l'étouffée fait descendre l'énergie. Quant à la friture, elle contribue à diffuser l'énergie vers l'extérieur.

Ainsi, parce qu'ils croissent vers l'extérieur, l'ail, le gingembre et l'oignon frits vous feront sentir que votre énergie remonte plus rapidement à la surface. La meilleure combinaison pour obtenir de l'énergie instantanée consiste à manger des aliments frits et cuits à la vapeur. Essayez un plat de nouilles ou de riz frits avec du gingembre, de l'ail et quelques épices douces, accompagné de légumes verts cuits à la vapeur. Un choix excellent avant une réunion où vous avez besoin d'une dose supplémentaire de dynamisme. Pour profiter d'une énergie plus durable, optez pour un ragoût très simple, avec des légumes-racines, du riz brun cuit sous pression ou du gruau.

En suivant cette approche, vous pourrez fournir davantage d'énergie curative à votre organisme. Pour tout problème intestinal, mangez des ragoûts et des légumes-racines afin de réchauffer votre système digestif et de l'encourager lentement à se remettre à fonctionner. Pour ouvrir la poitrine et vous débarrasser de la lourdeur accompagnant le rhume ou même l'asthme, consommez des aliments qui poussent vers le haut et vers l'extérieur, comme une soupe au miso avec du gingembre et des légumes verts. En outre, consommez-en pour maximiser votre bien-être total.

Silja

Trucs de régime

Pour perdre du poids, commencez votre régime ou votre programme d'exercice tout de suite après la pleine lune : votre tour de taille diminuera en même temps que la rondeur de la lune !

Boire une tasse de thé vert avant les repas inhibe naturellement l'appétit. Par ailleurs, en plus de brûler les calories, le thé vert contient beaucoup de supernutriments.

Pour vous aider, faites brûler une chandelle blanche pendant que vous mangez. Si vous êtes tenté par une tablette de chocolat, ou si vous vous sentez obligé de vider votre assiette même en n'ayant plus faim, regardez la flamme de la chandelle et imaginez combien vous vous sentirez plus heureux et en meilleure santé quand vous aurez atteint votre objectif santé.

LES SECRETS DE LA BEAUTÉ

Lucy Lam

Trucs de beauté intérieure pour signes astrologiques

Ma profession d'astrologue et de rédactrice du courrier du cœur m'a permis de constater qu'on peut perdre le sens de son signe astrologique en raison d'un manque de confiance en soi et d'une piètre estime de soi. Un signe astrologique « manquant » provoque une perte d'identité. Donc, si vous êtes un Scorpion qui se trouve terne ou un Lion sans éclat, agissez de manière à révéler votre être intérieur et à atteindre un véritable bonheur. Voici comment :

Bélier : vous avez besoin d'adrénaline ; pour faire naître une belle rougeur naturelle sur vos joues, choisissez des activités qui font battre votre cœur en chamade. Le kart, le parachute et toute activité compétitive menée sous le signe de la vitesse vous feront briller autant intérieurement qu'extérieurement.

Taureau : faites-vous plaisir avec un massage sensuel, soit en le recevant soit en le donnant, car l'un et l'autre sont aussi bons. Promenez-vous dans la campagne luxuriante, grignotez des aliments délectables et parfumez-vous de fragrances inspirées de la nature. Mais ce qui vous embellira le plus, c'est sans contredit de faire merveilleusement l'amour.

Gémeaux : soyez au meilleur de votre forme de vif-argent en partageant vos sentiments avec des amis jeunes et spirituels. Dans votre cas, le rire constitue l'un des meilleurs soins de beauté. Amusez-vous même en faisant de l'exercice, de préférence en groupe, de façon à pouvoir socialiser en même temps.

Cancer : si votre carapace est devenue si dure que vous n'avez plus accès à vos émotions profondes, permettez-vous d'éprouver de la joie, de la tristesse et de l'amour pendant toute une journée. Planifiez des expériences spéciales avec votre famille ou vos amis, regardez des films qui vous feront pleurer et vous sentir heureux, ou écoutez de la musique stimulante.

Lion : comme la créativité est votre oxygène, faites en sorte de vous exprimer, même s'il ne s'agit que de faire le pitre avec les enfants. La danse, le théâtre et le chant vous font beaucoup de bien, à plus forte raison si vous avez un public. Et quand on vous masse le dos, vous ronronnez de plaisir.

Vierge : quand vous devenez désorganisé ou tombez dans la sensiblerie, tournez-vous vers un projet que vous pourrez diriger – même s'il n'est question que de mettre de l'ordre dans votre jardin. Ne négligez pas votre santé, mangez des aliments complets, remplissez vos poumons d'air frais, faites de l'exercice et essayez le yoga ou les techniques de relaxation qui vous aideront à chasser vos inquiétudes.

Balance : comme vous avez besoin d'un environnement et de gens harmonieux autour de vous, recherchez-les. Laissez-vous aller à vos penchants romantiques : même si vous êtes célibataire, honorez votre corps en prenant des bains de pétales de fleurs, à la lueur des chandelles, et enduisez-vous ensuite de lotions parfumées.

Scorpion : quand vous êtes en forme, vous attirez les autres grâce à votre charisme naturel. Mettre de l'ordre dans vos sentiments en vous soumettant à une forme quelconque de thérapie pourra donc contribuer à vous embellir comme par magie. Essayez la natation et la boxe française pour vous libérer de votre négativité. Excitez vos papilles gustatives avec du curry et des gâteries épicées. Dans votre cas, le sexe est aussi extrêmement revigorant !

Sagittaire : quand vous vous ennuyez ou que vous vous sentez étouffé, vous devenez terne et blasé. Remplissez donc votre vie d'action, de défis et de plaisirs. Nourrissez votre esprit d'expériences et de philosophies nouvelles. Ayez des relations sexuelles régulières et excitantes, ou prenez votre pied en pratiquant des activités qui fouettent le sang, comme le parachutisme ou la descente en rappel.

Capricorne : le malheur vous guette si vous perdez la maîtrise de vous-même, que ce soit physiquement ou émotionnellement. Optez pour des traitements réguliers d'ostéopathie ou de massothérapie. Il vous faut travailler fort pour être heureux, mais n'oubliez pas d'équilibrer vos efforts avec du repos et du ressourcement pour votre mental, votre corps et votre esprit.

Verseau : mêlez-vous à la foule plutôt que de la conduire, vous permettrez ainsi à votre nature véritable et originale – ainsi qu'à votre beauté – de rayonner. Les activités de type nouvel âge, comme la palingénésie et le yoga Bikram, et les sports d'hiver grisants vous donneront des couleurs. Votre vie sexuelle elle-même devrait être tantrique !

Poissons : si le grand méchant monde vous fait perdre votre beauté douce et éthérée, réappropriez-vous votre sensibilité intérieure. Tournez-vous vers la spiritualité et méditez. Réconfortez-vous et élevez-vous grâce à des huiles de bain aromatiques. Pratiquez des formes d'exercice douces comme la natation ou le tai-chi.

. . . .

Inbaal

Comme je suis née sous le signe des Poissons, je suis de nature romantique et idéaliste : je crois à l'amour véritable, au coup de foudre et aux âmes sœurs parfaites. Par contre, comme j'ai la Lune en Sagittaire, j'ai un côté maladroit et je suis absolument incapable d'être gracieuse et sexy, quelles que soient les circonstances. J'ai déjà essayé de la jouer gothique, lors d'une soirée d'Halloween : rouge à lèvres noir, cheveux lissés en arrière, gants de dentelle noire, la totale ! Je ressemblais au frère cadet de Dracula... N'importe quelle fille bien roulée de 1,60 mètre qui porte des soutiens-gorge de taille F et arrive à avoir l'air d'un travesti mérite une bonne main d'applaudissements !

Mon ascendant est Balance ; d'un côté, c'est horrible, parce que j'adore les belles personnes. Je sais que c'est faire preuve de malveillance et de jugement. L'envers de la médaille, c'est que mon ascendant me pousse à vouloir rendre les gens beaux. J'ai déjà travaillé comme vendeuse dans un magasin de détail et je savais toujours intuitivement comment habiller les gens afin de tirer le maximum de leur apparence.

Je crois essentiellement que chaque personne porte en elle une beauté latente et que les gens heureux sont intrinsèquement beaux. J'aime assister à la progression du merveilleux phénomène que vivent les gens qui se découvrent. Certains de mes clients prennent rendez-vous pour une lecture une fois par année ou tous les deux ans. À mesure qu'ils transforment leur vie, améliorent certaines de leurs facettes et apprennent à affirmer leur véritable nature et ce qu'ils veulent être, ils sont de mieux en mieux dans leur peau. Alors, leur visage se déride, ils ne froncent plus les sourcils, leur posture et leur façon de se mouvoir se teintent d'une élégance qui leur est propre, et je me retrouve devant des gens rayonnant de toute leur originalité.

Les personnes qui ne sont pas toujours positives tireront profit du petit sortilège suivant :

Le vendredi (jour de Vénus, déesse de l'amour et de la beauté) de la pleine lune, frottez une chandelle bleue (pour la santé, plus importante encore que la beauté) de romarin (pour le sommeil : impossible d'être beau quand on est fatigué !), allumez-la et regardez-vous ensuite dans le miroir. Voyez vos rides s'estomper et vos traits embellir : regardez-vous et contemplez votre soi le plus beau.

. . . .

Jon Sandifer

Je suis né et j'ai été élevé au Kenya. Mon plus vieux souvenir remonte à l'âge d'environ trois ans, à l'époque où j'ai appris à me brosser les dents comme les autochtones.

Mes parents m'avaient acheté une brosse à dents et une marque quelconque de dentifrice, mais notre bonne à tout faire africaine, dont le travail consistait à me laver et à m'habiller chaque matin, n'en voulait pas du tout. Je me souviens que je me promenais avec elle dans le jardin tropical, chaque matin, peu après le lever du soleil. Elle m'amenait dans un endroit retiré, hors de vue de la maison, et nous nous asseyions sous un gigantesque citronnier. Elle cassait deux brindilles du buisson et en ôtait l'écorce, dévoilant le cœur blanc et luisant du bois. C'était sa brosse à dents. Elle m'a enseigné à un très jeune âge que les brosses à dents et le dentifrice représentent une totale perte de temps, et que la meilleure chose à faire consistait à se frotter vigoureusement les dents et les gencives chaque matin avec la sève piquante du citronnier, sans jamais en parler aux parents! Grâce à elle, j'ai encore aujourd'hui de bonnes gencives et de bonnes dents.

. . . .

Silja

Huile de bain magique

En faisant couler un bain, je mélange quelques gouttes d'huile essentielle de vanille (qui calme et donne de l'assurance) à de l'huile d'amande douce (qui contribue au succès et aide à se sentir belle) et j'ajoute le tout à l'eau courante.

Rituels de beauté

On peut se servir de poudre scintillante pour le visage pour procéder à un rituel de beauté magique. Pour attirer le mystère et le plaisir espiègle des farfadets, ajoutez quelques gouttes de l'eau d'un ruisseau bouillonnant et une pincée de spores de fougère à votre poudre scintillante avant de l'appliquer. Assurez-vous de répéter l'application vers minuit pour redonner du piquant à votre allure !

Si vous êtes sous le coup d'un échec ou écrasé par vos soucis professionnels, votre état pourra influencer négativement votre magnétisme lors de vos rendez-vous amoureux. Pour contrecarrer cette influence, confectionnez un exfoliant avec de l'avoine (pour obtenir le pouvoir de la déesse Lune), du sel (pour disperser la négativité) et quelques gouttes d'essence de vanille (pour magnétiser l'amour). Frottez ensuite votre corps avec ce mélange avant de prendre une douche.

Vous avez eu une journée vraiment exécrable au travail ou à la maison ? Faites couler un bain chaud auquel vous ajouterez quelques gouttes d'huile essentielle de géranium et 15 ml (3 c. à thé) de vinaigre. Avec votre main gauche, faites tourner l'eau dans le sens inverse des aiguilles d'une montre. Ensuite, entrez dans l'eau et immergez-vous complètement au moins une fois.

Intégrer la Déesse au quotidien

Il existe plusieurs moyens pour vous rappeler le pouvoir de la Mère Terre dans votre vie et intégrer l'énergie de la Déesse à vos activités quotidiennes. Nul besoin de mettre en scènes des rituels compliqués !

Dès votre réveil, plutôt que de repousser les couvertures en maugréant, prenez trois profondes respirations et pensez à une chose agréable que vous avez l'intention de faire durant la journée, quelque chose que vous attendrez avec plaisir. Le jour le plus maussade en sera égayé !

Chaque fois que vous le pouvez, optez pour des fruits et des légumes biologiques. Quand vous faites la cuisine, gardez l'œil ouvert pour repérer les œufs à deux jaunes : ils annoncent un coup de chance inattendu ! Au travail, pensez à placer une plante à feuilles rondes sur votre bureau : non seulement vous fournira-t-elle un surplus d'oxygène, mais aussi elle favorisera les interactions positives et attirera l'argent à vous.

TROISIÈME PARTIE –

amour ; secrets sensuels, sexuels ;
signes et sortilèges, chants et
enchantements ; foyer ; la Terre

Emma Restall Orr

Q. *Signe astrologique et autres influences planétaires?*

R. Je suis désespérément Scorpion : ma vie a toujours gravité autour de la sexualité, de la sensualité, de l'intensité, de la décomposition, de la mort et de la régénération. Par bien des côtés, cela explique sur quoi se concentre mon travail, à savoir une tradition religieuse fondée sur une profonde connexion avec les forces de la nature et une grande vénération à leur égard. Après tout, y a-t-il quelque chose de plus près du cœur de la vie que le sexe et la mort? Même si le mélange s'avère parfois un peu effrayant, le Lion en moi (mon ascendant et le signe où se trouve la Lune dans mon ciel) me permet de travailler avec le public et de partager cette tradition par l'entremise de l'enseignement et de la pratique de rituels, de l'écriture et de mes apparitions dans les médias.

Q. *Ce que vous préférez dans votre travail?*

R. Mon travail de prêtre est tellement intégré à ma vie d'être humain qu'il est difficile pour moi de penser en termes de ce que je fais : il s'agit plutôt de ce que je suis. Cela dit, j'exprime probablement la partie la plus poignante et la plus belle de mon travail; tout ce qu'il exige, c'est que je sois moi-même.

Q. *Premier souvenir?*

R. À l'âge de trois ans, je vivais au Danemark avec ma famille. Mes plus vieux souvenirs négatifs portent sur le fait d'être prise au piège au plafond, d'observer mon corps dans son lit, de pleurer pour qu'on m'aide et de voir mes appels muets rester sans réponse.

Quant à mes premiers souvenirs positifs, il s'agit de la neige dans la forêt, de la sensation renversante procurée par cette pureté immaculée, brillante et éclatante sur le sol, profonde de plusieurs centimètres, dont la surface craque sous mes bottes, et du couvert sombre des pins au-dessus de ma tête. À l'époque, je n'avais aucun doute que la forêt était un endroit profondément magique et ce sentiment d'émerveillement m'est resté.

Q. *Qu'est-ce qui vous fait secrètement sourire ou qui vous rend le plus heureuse ?*

R. La simplicité de la vie. Nous autres, êtres humains, avons la capacité ridicule de compliquer nos moments et nos relations. Voilà pourquoi me rappeler la totale simplicité de la vie me fait sourire. Et il ne s'agit pas d'un sourire ordinaire : il se répand dans toutes les parties de mon corps, soulageant et libérateur, et il s'accompagne du rire qui me vient quand la route s'étend à nouveau devant moi, ouverte et sans obstacle.

Q. *Meilleur truc de méditation ?*

R. Selon moi, l'idée que la méditation consiste à faire le vide dans son esprit est erronée. Dans la tradition druidique, la méditation consiste à s'engager entièrement dans une seule et unique relation. Pendant un laps de temps donné – une minute, une heure ou plus longtemps – nous nous asseyons ensemble dans la paix, dans une parfaite acceptation, sans demande ni communication.

Parmi les relations où l'investissement momentané de notre énergie s'avère le plus facile, il y a les vagues de l'océan, le cours d'une rivière, les flammes dansantes du feu ou le soleil à son coucher. Nous pouvons passer un long moment dans cet état, en nous contentant d'être ; notre esprit pourra se perdre dans des rêveries, mais notre méditation restera efficace si nous gardons notre attention en éveil, en nous contentant d'observer, d'écouter, de respirer les odeurs, rien de plus.

Q. *Endroit favori sur la planète ?*

R. Je suis incapable d'en choisir un, car différents moments me portent vers différents environnements. Un trio de très vieux ifs, le cercle de pierre voisin, certains beaux arbres de la forêt, le cimetière local, mon jardin… Par contre, l'étreinte de mon mari illustre la réponse la plus sincère que je puisse donner actuellement. Quand nous sommes pelotonnés l'un contre l'autre, nos frontières se dissolvent, nos esprits fusionnent, et c'est sans contredit l'endroit le plus paisible et le plus beau où j'aime me retrouver régulièrement.

Q. *Croyances profondes qui vous aident à tenir le coup quand les choses vont mal ?*

R. Il n'y a ni commencement ni fin. Dans la tradition druidique, l'image que transmettent les anciens entrelacs celtes, dont une grande partie provient de dessins encore plus anciens, est celle du flot de la vie qui n'a ni début ni fin. Les fils sont simplement tissés ensemble, dessus et dessous, en boucles et en torsades suggérant des cercles et des spirales. Les entrelacs reflètent la croyance profonde partagée par plusieurs druides, à savoir qu'il n'y a eu aucun instant où l'Univers a été créé et qu'il ne connaîtra pas de fin apocalyptique.

La vie émerge puis disparaît ; les existences vont et viennent ; des chants naissent du bourdonnement de la vie, prennent forme grâce aux sons, puis se dissolvent à nouveau dans les chants de la nature.

C'est une croyance qui autorise le sentiment intense d'être présent, vivant et en éveil, ici et maintenant, plutôt que de tendre vers le futur ou de rester prisonnier du passé. Nous sommes donc capables de laisser aller ce qui a été fait et, ayant tiré leçon de l'expérience, d'avancer en gardant les pieds sur terre, chaque pas posé d'un pied léger, dans le respect et la responsabilité. Nous ressentons la continuité de la vie et savons que chaque geste posé influence cette continuité. Cette croyance nous aide à nous rappeler que tout dans la nature est interrelié.

Q. *Qui ou qu'est-ce qui vous inspire le plus, et pourquoi ?*

R. Sur le plan de l'humanité, c'est la musique. C'est une expression tellement puissante de la nature humaine ; elle communique le chagrin et la joie, la communauté et la fierté tribale, l'énergie et la détermination, la gloire et l'humilité. La musique fait partie de la culture humaine depuis plus longtemps que nous ne pouvons l'imaginer : nos ancêtres éloignés dansaient au son des tambours et chantaient pour les esprits de la nature. Nous le faisons encore aujourd'hui. Des festivals comme celui de Glastonbury ou la série de concerts Live 8 révèlent à quel point l'expérience musicale communautaire est essentielle. Dans la tradition druidique, la musique et la danse sont des éléments essentiels de la pratique spirituelle de nombre d'individus. En ce qui me concerne, je chante et je danse tout le temps !

Au-delà de l'humanité, dans les mondes à l'intérieur desquels nous vivons, je suis inspirée par l'incroyable créativité de la nature. Promenez-vous n'importe où, dans les rues d'une ville ou les espaces boisés de la campagne, et vous trouverez les plus belles expressions de la nature : tendres pétales de fleurs, toiles d'araignée complexes, chants d'oiseaux, plantes poussant au travers de fentes minuscules, havres de vie sous des troncs d'arbre, schémas dessinés par les arbres sur le ciel…

Q. *Rêve secret pour améliorer le monde ?*
R. Le commerce équitable.

Ce n'est peut-être pas un secret : nous savons tous que le commerce équitable est la seule façon de conclure un échange honorable entre vendeur et acheteur. En réalité, le pourcentage de biens vendus équitablement est pourtant minuscule. Des millions de personnes à travers le monde cultivent le café, le thé, le cacao, la canne à sucre, le coton, et ainsi de suite, et reçoivent tellement peu en échange de leurs biens qu'ils fonctionnent à perte, alors que les multinationales qui vendent ces produits au détail en Occident engrangent des profits colossaux. C'est mal.

Malgré tout, nous ne pouvons nous contenter de critiquer les grandes entreprises. Nous ne votons peut-être qu'une fois tous les quatre ou cinq ans pour un gouvernement, mais nous votons quotidiennement avec chaque cent dépensé. La majorité vote encore pour la pauvreté engendrée par le commerce inéquitable. Si tous les lecteurs de ce livre achetaient uniquement du café, du thé, du chocolat, des bananes, etc., issus du commerce équitable, la différence serait énorme. Si tous les citoyens britanniques le faisaient, la vie de millions de gens changerait.

Q. *Secrets sensuels et sexuels?*

R. Certains affirment que notre corps physique n'est pas la partie la plus sensuelle de notre être, que cette qualité revient à notre esprit. Il est vrai que nous pouvons augmenter notre plaisir physique grâce à des fantasmes, des attentes, notre imagination, et ainsi de suite. Quoi qu'il en soit, dans la tradition druidique, le corps et l'esprit ne sont pas considérés comme des éléments séparés. On admet que c'est l'interaction des énergies qui augmente le plaisir.

Les préliminaires devraient toujours commencer sans le toucher. En nous tenant à quelques centimètres l'un de l'autre, très près de notre partenaire sans qu'il y ait contact physique, nous pouvons sentir nos énergies. La vibration de la vie ou le frissonnement de l'attente peuvent se révéler d'un érotisme exquis. Le passage au contact des épidermes doit être doux, hésitant… le murmure du souffle, l'effleurement du bout des doigts, une boucle de cheveux…, même si la passion déferle et finit par plonger notre rapport sexuel dans une fougueuse interaction physique.

Mais que cela arrive plus tard… L'intimité sans le toucher vaut la peine d'être explorée.

Q. *Si vous pouviez être une déité, qui seriez-vous, et pourquoi ?*

R. Je serais la déesse de la pluie. La pluie est la puissance la plus merveilleusement sensuelle de la nature : elle pénètre tout notre être, explore toutes les courbes et tous les orifices, glisse le long de la peau, de la pierre et des pétales, joue à la surface des rivières et des étangs, fait de la musique sur les toits, forme les gouttelettes de brume les plus douces, tombe à torrents, nourrit le sol asséché avec le pouvoir de la vie potentielle.

Et quelle puissance, quel cadeau et quelle arme ! Si j'étais la déesse de la pluie, j'éprouverais peut-être un peu de compassion : j'offrirais de l'eau là où elle manque et je la retiendrais là où elle est superflue. Pour un être humain, c'est une forme de philanthropie séduisante. Mais en tant que druide et prêtre de la nature, je ne pense pas qu'une déesse de la pluie éprouverait de la compassion. Elle serait simplement la pluie : libre, sauvage et remplie de chants.

LES SECRETS DE L'AMOUR

Brian Bates

La voie de Wyrd

Il y a deux catégories de secrets édifiants. Il y a ceux qui ont été occultés de notre savoir dans des temps anciens et des lieux cachés – anciens manuscrits ou retraites montagneuses dans les nuages, dans des endroits comme le Tibet. Et il y a ceux de l'autre catégorie, qui sont quotidiennement sous nos yeux, mais que nous ne voyons pas en raison de leur trop grande évidence.

Les secrets de la voie de Wyrd répondent aux deux catégories. J'en ai déniché plusieurs dans un ancien manuscrit rédigé par un moine, il y a plus de mille ans, dans un monastère de pierre de l'Angleterre anglo-saxonne. Cet homme a transcrit sur du parchemin non pas la doctrine chrétienne, mais les secrets de guérison des sorciers de cette culture ancienne. Ce précieux document est aujourd'hui conservé à la British Library.

Quand je l'ai étudié, j'y ai relevé plusieurs inspirations aujourd'hui perdues. Une profonde vérité sous-tendait chacune, l'élixir de vie lui-même. Et cet élixir est l'amour.

Bien entendu, nous connaissons tous l'amour ; c'est tellement évident que nous devrions certainement chercher ailleurs d'autres « secrets ». Je suis pourtant d'avis que c'est le plus puissant secret de tous et qu'il représente le point de départ. Nous recherchons tous l'amour. Nous le recherchons dans nos relations personnelles, nos familles et à travers la paix planétaire.

Or, pour les auteurs de l'antique manuscrit de Wyrd, l'amour est une énergie que nous pouvons attirer dans notre vie. Pour trouver l'amour, il n'est pas nécessaire de partir à sa recherche à l'extérieur ; il faut plutôt apprendre à le ressentir dans notre vie, en tirer notre subsistance et le tisser dans la trame même de notre être.

Le secret pour attirer l'amour dans notre vie consiste à reconnaître combien nous sommes aimés. Une fois que nous le savons dans notre cœur, l'amour vient à nous de toutes les façons. Il grandit simplement, dans notre cœur, et nous remplit de chaleur, de bonheur, de santé et de richesse.

Les fils dorés de l'amour

Les anciens sorciers nous imaginaient comme des êtres suspendus au centre d'une toile que nous tissons avec les fils dorés de l'amour. Les fils maintiennent, relient et intègrent tout dans notre vie. Ils sont tellement sensibles que toute pensée, toute émotion, tout événement, même le plus banal, créent une réverbération à travers toute la toile. C'est ainsi que les scientifiques considèrent aujourd'hui la vie. Forgé à l'aide de superbes images, le concept ressemble beaucoup à ceux de notre physique contemporaine. Il nous enseigne comment nous mettre au diapason de tous les aspects de la vie, ce qui constitue la clé des sentiments d'amour.

CRÉEZ VOTRE PROPRE TOILE

Essayez cette méditation créative, puissante et pratique, sur l'amour que l'on vous porte.

Prenez une feuille de papier et un stylo-bille.

Dressez la liste de toutes les personnes avec qui vous entretenez une relation positive. Ne vous servez que de votre mémoire : ne consultez ni votre carnet d'adresses ni vos fichiers d'adresses de courrier électronique. Dressez simplement la liste des gens à qui vous pensez. Vous ne devriez pas mettre plus d'une heure à inscrire les noms, mais ne vous pressez pas.

Prenez ensuite une grande feuille de papier et dessinez-y une carte du monde. Ou, à tout le moins, une carte du pays où vous vivez. Copiez-la dans un atlas. Votre dessin n'a pas à être exact ; il suffit qu'il donne une idée raisonnablement juste de l'étendue géographique et des lieux que vous allez intégrer à votre méditation Wyrd.

Marquez d'un point l'endroit où vous habitez présentement. Marquez ensuite le lieu de résidence des personnes qui figurent sur votre liste. Encore une fois, prenez votre temps. Traitez cet exercice comme une méditation.

Au bout du compte, vous aurez une carte où certains noms seront inscrits très loin de votre demeure et où le plus grand nombre se trouvera tout près. Par contre, comme la carte de chacun est différente, il n'y a ni «bonne» ni «mauvaise» configuration.

La dernière étape consiste à tirer avec soin des lignes droites qui partent de votre lieu de résidence et rejoignent tous les points de votre carte. Soyez aussi créatif et coloré que vous le souhaitez.

Votre carte ressemblera à une gigantesque toile d'araignée où vous pourrez voir votre position. Plusieurs personnes avec qui j'ai travaillé sur une toile de ce genre ont été surprises de voir tous ces fils venant à elles de partout à travers le pays ou le monde.

Ces tracés indiquent les fils d'énergie positive que les personnes que vous aimez dirigent vers vous.

Servez-vous de cette carte comme d'un outil de méditation pour comprendre combien vous êtes aimé. Quand nous prenons conscience de l'amour dont nous sommes l'objet, sous la forme d'une image d'ensemble plutôt que de noms séparés dans un carnet d'adresses, nos sentiments changent. Si vous vous sentez déprimé, découragé ou seul, cette méditation toute simple pourra s'avérer très réconfortante.

Savoir combien nous sommes aimés transforme notre présence dans le monde. Notre opinion sur nous-mêmes se transforme, tout comme notre façon d'être en relation. Nous devenons plus confiants, plus généreux et plus aimants envers autrui. C'est comme un aimant qui magnétise l'amour dans votre vie. Savoir combien vous êtes aimé est ce que vous pouvez faire de plus important pour attirer l'amour dans votre vie. Voilà le merveilleux secret des anciens sorciers de Wyrd.

· ·

Kelfin Oberon

Voici mon plus récent poème : très personnel, il parle de la façon dont les bébés sauvent le monde grâce à la nature même de l'amour.

Un petit oiseau m'a dit de ne pas m'inquiéter

Portée sur l'aile d'une prière
Quand deux navires sont passés dans la nuit
L'âme du vent a guidé nos voiles
En abritant la tempête brusquement levée
L'Esprit a conduit nos deux navires au bercail
Dans la même baie
La même journée

Les relations se nouent et se dénouent
Dérivent ensemble et volent en éclats

Un ravissant bébé s'incarne en naissant
Lumineuse âme stellaire insufflant
une nouvelle vie sur Terre

Trajectoire à la Star Trek
Usine de gênes dont rêve Gaia
Entrée 20 13 du journal de bord des étoiles
Douze divisions séparées communiant dans un seul rêve
Douze tribus séparées s'unissant dans une chaîne d'ADN
Toutes facettes de tout ce qui est
Amalgamées dans un seul gène

Dans mes enfants se mélangent leurs mères et moi
Mutation génétique d'une nouvelle génération
Née dans un monde plus conscient et plus libre

Devant nous, le salut ou une complète annihilation
Il est donc facile de deviner ce qui adviendra

Ça vaut le coup de savoir que la vie croît de toute façon
Miracle renouvelé de toute éternité.

Chris Fleming

Souvenez-vous toujours qu'il n'y a pas de plus grand amour, pas de plus grande joie que le sourire et le regard d'une personne que vous avez aidée ou à qui vous avez donné de l'amour.

John Briffa

Loin de moi l'idée de faire croire que ma vie ressemble à un panier de cerises inépuisable! Par contre, je dois avouer que je me sens privilégié de faire un travail qui me passionne réellement, et que je puise une force et un réconfort considérables dans l'amour et le soutien de ma famille et de mes amis.

Toutefois, il y a dans ma vie un domaine où j'éprouve depuis toujours un problème persistant : celui des relations amoureuses. À la vérité, bien que j'aie généralement trouvé assez simple d'entrer en relation, mon expérience m'a démontré qu'il m'est encore plus facile d'en sortir. Une fois passée la vague initiale d'excitation engendrée par une nouvelle union, j'ai souvent réagi en me séparant émotionnellement de ma partenaire. Règle générale, ce détachement s'installait après seulement quelques mois et souvent sans véritable raison, semble-t-il.

Comme la majorité du commun des mortels, je suppose que dans le passé, j'ai eu tendance à croire que mes «problèmes» relationnels étaient dus à des questions de compatibilité, issues de l'incapacité de mes partenaires de me donner ce que je voulais ou ce dont j'avais besoin. Mais au cours des dernières années, j'ai compris que dans mes relations, c'était moi, l'un des facteurs récurrents! Se pouvait-il qu'un élément profondément enfoui dans ma psyché me pousse à répéter un comportement que non seulement je créais moi-même, mais aussi que j'étais le seul à pouvoir changer?

Une de mes bonnes amies, Lianne, m'a suggéré que mes problèmes relationnels plongeaient peut-être leurs racines dans les événements de mon passé, peut-être même aussi loin que dans mes premières expériences de vie. Sur le plan intuitif, j'ai eu le sentiment que cette hypothèse avait du sens, car je savais que ma vie intra-utérine et ma naissance n'avaient pas été sans difficulté.

En effet, quand j'étais dans l'utérus maternel, l'incompatibilité fondamentale entre nos groupes sanguins a provoqué la destruction systématique des globules rouges de mon sang par les globules blancs du sang de ma mère, ce qui m'a rendu extrêmement anémique. J'étais si affecté que j'ai même dû recevoir deux transfusions avant ma naissance, au cours d'une opération supervisée par rayons X où on a injecté du sang dans mon corps grâce à une seringue traversant l'utérus de ma mère.

Par la suite, l'équipe médicale a provoqué l'accouchement un mois avant terme. Dès ma naissance, j'ai été si gravement malade que j'ai dû être immédiatement arraché à ma mère pour recevoir des soins d'urgence. Au cours des deux jours qui ont suivi, mon sang a été remplacé trois fois par celui d'un donneur. Après dix jours de traitements médicaux intensifs et de surveillance, j'ai enfin obtenu mon congé de l'hôpital.

Je serai toujours reconnaissant à mes parents de m'avoir donné la vie et à l'équipe médicale de nous avoir soignés, ma mère et moi, au moment de ma naissance. De bien des façons, je sais que je suis très chanceux d'être en vie. Mais en même temps, je trouvais fort plausible la suggestion de Lianne, à savoir qu'un début aussi dramatique pouvait avoir eu un impact certain sur mes expériences subséquentes. Il m'apparaissait surtout raisonnable de conclure que ma relation initiale avec ma mère avait été, bien malgré elle, colorée par le rejet et la séparation. D'une certaine façon, cet épisode pouvait être à la base des problématiques relationnelles que je voulais résoudre.

Bien qu'une multitude d'approches permettent de traiter les problèmes émotionnels et psychologiques profondément enracinés, j'étais d'avis que la palingénésie serait appropriée pour résoudre mes problèmes. Une session de palingénésie comprend généralement une discussion avec le praticien, suivie d'un processus de respiration au cours duquel le thérapeute accompagne le client. Le processus est conçu pour faciliter la libération des pensées et des émotions indésirables. Ce n'est pas sans une certaine nervosité que j'ai entamé une série de rencontres avec un praticien de cette technique, Pat Bennaceur.

Lors de notre première rencontre, Pat a exploré avec moi les problématiques avec lesquelles j'avais le sentiment d'être aux prises, ainsi que les circonstances entourant la grossesse de ma mère et ma naissance. Plus que jamais auparavant, j'ai dû explorer en profondeur les premières émotions que j'étais susceptible d'avoir ressenties. Mes «souvenirs» de cette époque m'ont laissé avec le sentiment que j'étais entièrement dépourvu d'intimité. Au cours des sessions suivantes, j'ai revécu d'autres émotions intenses, comme la peur de perdre, l'insécurité et le besoin de me protéger. Je ne vous cache pas que ces rencontres s'avéraient généralement puissantes et confrontantes, et qu'elles m'émouvaient souvent jusqu'aux larmes. Par contre, après chaque session, j'avais toujours le sentiment de me comprendre davantage et la sensation que quelque chose avait été réellement libéré. Grâce à l'amour, au soutien et à l'expertise de Pat, j'ai compris que j'étais capable d'intégrer et de transformer les émotions qui semblaient m'empêcher d'établir une relation vraiment nourrissante.

Quelques mois après avoir entamé ce processus, je me suis engagé dans ma relation actuelle. Dès l'abord, j'ai été honnête avec Karen : je lui ai parlé des problématiques relationnelles auxquelles j'avais été habituellement confronté, ajoutant que je tentais maintenant de les résoudre par la voie thérapeutique de la palingénésie. Karen s'est révélée très aimante et d'un grand soutien ; pour ma part, j'ai été soulagé d'avoir «mis les cartes sur table». Même si mes vieux schémas refont de temps en temps surface et qu'il m'arrive encore de me refermer sur moi-même, je constate une différence majeure : je suis beaucoup plus conscient de mes émotions et de mes actions, de leur provenance et de ce que je peux en faire. Je sens une nouvelle ouverture en moi et, à mon avis, elle enrichit non seulement ma relation avec Karen, mais aussi mes rapports avec autrui. Une autre conséquence du processus de palingénésie est que pour la première fois en près de quarante ans, j'ai discuté avec mes parents des circonstances de ma naissance, ce qui, à mon avis, a contribué à nous rapprocher.

L'importance des expériences que j'avais récemment vécues a été mise en lumière peu de temps après ma rencontre avec Karen. La première fois que je lui ai rendu visite, j'ai constaté qu'elle vivait presque à côté de l'hôpital où je suis né, dans un quartier de Londres où je n'avais jamais remis les pieds depuis ma naissance. C'était comme si l'Univers me confirmait à quel point il était essentiel de me réconcilier avec l'expérience de ma naissance afin de m'ouvrir à ma capacité d'établir le genre de relation dont j'avais toujours rêvé.

Sonia Choquette

Q. *Signe astrologue et autres influences planétaires ?*

R. Balance, ascendant Balance. Lune en Bélier, cinq planètes en Balance et dans la douzième maison.

Q. *Ce que vous préférez dans votre travail ?*

R. J'aime les gens et j'aime trouver des solutions à leurs problèmes. Ma philosophie est la suivante : « Il y a toujours une solution, peu importe le défi que présente une situation. » J'aime la complexité de l'âme humaine et je considère son évolution comme le sujet le plus fascinant qui soit. Je ne m'en lasse jamais. Je suis constamment émerveillée par la créativité sous-jacente aux drames de l'âme et j'aime faire comprendre aux gens comment leur âme a organisé leur chemin de vie en fonction de leur croissance. Une fois qu'une personne comprend que tout ce qui lui arrive – *absolument tout* – contribue à la croissance de son âme, la vie devient fascinante, excitante et facile à gérer. Les drames ouvrent la porte à la créativité et les obstacles deviennent des occasions favorables.

Q. *Moyen secret pour vous dorloter ou vous guérir qui vous fait sentir remarquablement bien ?*

R. Je me renouvelle en voyageant avec mon mari et mes enfants dans des lieux exotiques où personne ne me connaît et où je n'ai pas à me concentrer sur les problèmes d'autrui. Ces voyages nous permettent de partager une aventure en famille et nous rions beaucoup. Nous préférons les endroits excitants et faisons au moins un voyage par année. L'an dernier, nous sommes allés en Inde. Cette année, nous visiterons l'Argentine. Ces voyages alimentent les profondeurs de mon esprit et me procurent une bonne dose de créativité.

J'aime aussi la musique et la danse ; en fait, au fond de moi, je suis secrètement une musicienne. Quand je sillonne la ville au volant de ma coccinelle Volkswagen bleu électrique, je chante des chansons de rock à tue-tête en vaquant à mes occupations.

Q. *Endroit favori sur la planète?*

R. L'Égypte est l'endroit que je préfère. Je me suis fiancée au pied de la grande pyramide, il y a vingt-trois ans, à l'aube. Je suis retournée quelques fois en Égypte avec mon mari et mes enfants, et j'aime de plus en plus ce pays à chaque séjour. J'aime aussi l'Inde. Je crois que mon âme vient de là-bas et que je m'inspire de plusieurs vies antérieures que j'y ai vécues.

Q. *Rêve secret pour améliorer le monde?*

R. Inciter tous les habitants de la planète à chanter, à danser et à «sortir d'eux-mêmes» pour habiter leur esprit.

Q. *Secrets de l'avenir : que savez-vous de l'avenir de notre planète?*

R. J'entrevois le développement de nouvelles sources d'énergie utilisables et un éloignement significatif de notre dépendance aux carburants fossiles, ce qui entraînera une modification de l'équilibre des pouvoirs. On entend d'ailleurs d'excellentes nouvelles à ce sujet en provenance du Japon.

J'ai le sentiment que l'épuration des énergies anciennes se poursuivra pendant encore trois ans (jusqu'en 2008-2009) et engendrera plusieurs catastrophes sur le plan international. Plus nous nous libérons personnellement de nos comportements sclérosés et des jugements que nous portons sur autrui, plus nous nous renouvelons en ce sens, en nous engageant à vivre d'une façon plus élevée, moins ces changements seront bouleversants.

On verra aussi apparaître des remèdes pour guérir le diabète et la maladie d'Alzheimer.

Nous évoluons vers une conscience plus grande de notre interdépendance et devenons plus sensibles au fait qu'il est futile d'essayer de nous séparer des autres en créant des factions.

À mon avis, la meilleure chose à faire actuellement pour la planète et pour votre âme consiste à choisir d'être heureux et en paix dans votre cœur, et de vous aimer. Ce sont des choix dynamiques qui exigent beaucoup de détermination et de courage, étant donné que notre société ne leur accorde pas nécessairement de valeur, pas plus qu'elle ne les encourage. En écoutant votre esprit et votre sixième sens, vous commencerez à vous sentir heureux et en paix, et vous vous aimerez profondément. Impossible d'y arriver sans votre sixième sens.

· ·

Perry Wood

Ultimement, tout est amour; l'amour existe en quantité illimitée, et toute expression contraire est basée sur la peur... qui peut être guérie et libérée grâce à l'amour. Simple (mais pas toujours facile, cependant!)!

Je crois que nous ne sommes jamais seuls et que nous avons tous ce que nous pourrions appeler des «anges» qui prennent soin de nous : toujours à notre écoute, ils nous aident constamment.

Récemment, j'ai envoyé en silence de l'amour incon-ditionnel à deux personnes avec qui j'éprouvais des dif-ficultés ; sans que je change quoi que ce soit et sans que ces personnes prennent conscience de ce que j'avais fait, notre relation s'est transformée du jour au lendemain. Le pouvoir de l'amour ne cesse de m'émerveiller.

. . . .

Dadi Janki

Q. *Quelle est votre activité préférée ?*

R. Rester dans la conscience et l'expérience des vérita-bles qualités de l'âme : l'amour, la paix et le bonheur. M'unir à l'Âme suprême en méditation et tirer suffi-samment de force et de pouvoir de ce lien pour être un instrument rayonnant des vibrations de paix dans ce monde troublé.

Q. *Comment méditez-vous et vous détendez-vous complètement ?*

R. Je pratique le raja yoga, une forme de méditation très simple. Nous méditons les yeux ouverts, assis et détendus, en nous concentrant sur un point au cen-tre du front. Quand je me concentre doucement sur ce point, je me sers de la puissance de ma pensée pour me connecter à mon être intérieur. En quelques secondes, je suis capable d'expérimenter la paix inté-rieure, ma qualité fondamentale. Dans le silence et l'immobilité, je détache mes pensées du monde exté-rieur pour prendre le temps de faire l'expérience de l'immatériel, forme subtile de l'âme.

Le corps est simplement un instrument à travers lequel je m'exprime. L'âme est un être vivant éternel qui agit par l'entremise du corps. En immergeant mes pensées dans les qualités de l'âme, j'arrive à ressentir le calme, à créer un espace de silence. Nous ne pouvons nous détendre complètement avant d'avoir fait disparaître toutes les pensées négatives de notre mental. Quand chaque respiration est utilisée de façon valable, nous ne laissons pas place au gaspillage. Et quand il n'y a pas de gaspillage, je n'ai aucune inquiétude.

Dans l'immobilité créée par la conscience de l'être paisible que je suis, je m'unis au divin, Être de lumière et Source d'amour.

Q. *Y a-t-il un endroit dans le monde où vous vous sentez très paisible ?*

R. Je peux me sentir en paix dans n'importe quelle situation, mais il y a un lieu qui présente une signification particulière pour moi. Il est situé sur le mont Abu, au Rajasthan. Il s'agit d'un promontoire spécial appelé le rocher de Baba, tout près du village. J'étais au début de la vingtaine la première fois que je m'y suis rendue avec d'autres membres fondateurs de la Brahma Kumaris World Spiritual University (BKWSU). L'endroit se trouve à environ vingt minutes de marche du quartier général de la BKWSU. Nous avions l'habitude de grimper là-haut tous les soirs pour méditer jusqu'au coucher du soleil. Très haut dans les montagnes, quand vous méditez en surplombant une plaine, vous avez vraiment l'impression de vous envoler hors de ce monde. Depuis près de soixante-dix ans, des groupes de méditation se rendent au rocher de Baba

pour vivre cette expérience unique ; une énergie spirituelle particulière infuse donc l'endroit.

Q. *Faites-vous secrètement un souhait pour améliorer le
monde ?*

R. Je ne crois pas que mes souhaits soient très secrets.
C'est un fait que j'encourage et que je soutiens un
mode de vie sain et spirituel pour tous. Je partage
mon expérience d'être une âme avec toutes les personnes que je rencontre. Notre monde deviendra
meilleur quand nous détournerons nos énergies de la
matérialité pour accéder à la compréhension de notre
nature véritable. Pour ce faire, il faut développer une
qualité essentielle : la paix. Une fois que j'ai accumulé
des réserves de paix intérieure, je suis en position de
créer un monde plus harmonieux à chacun de mes
pas.

Q. *En tant que gardienne de la sagesse, avez-vous des indices sur ce qui nous attend dans le futur ?*

R. Pas en termes de prédictions de l'avenir, mais en termes de compréhension des cycles du temps. Nous
vivons une période de transformation intense sur tous
les plans et, dans un certain sens, le monde s'efforce
de se libérer des toxines et de la pollution.

À travers le monde, beaucoup de gens et de communautés travaillent à créer un environnement plus
positif et plus sain, où la distribution des ressources
mondiales se fera de façon plus équilibrée.

Je constate que nous sommes dans une période de
transition qui nous conduira au moment opportun

à un monde de paix, d'harmonie et d'équilibre, où le respect deviendra mutuel et où la vision de l'âme gouvernera nos interactions.

À mesure que l'âme humaine change et retourne à son état divin d'origine, le monde qui nous entoure se transforme en un monde de vérité, d'amour et de justice. Le présent et l'avenir immédiat verront le chaos et de nombreux bouleversements. L'union avec le divin apporte la pureté et la stabilité grâce auxquelles nous pouvons jeter les fondements d'un monde meilleur, au-delà du chaos.

Wayne Dyer

De l'amour et de l'optimisme

L'optimisme, c'est savoir que vous créez ce qui est votre intention. Je suis toujours très optimiste. Je pense qu'être pessimiste fait de vous une partie du problème et ne résout jamais rien.

Je ne veux pas haïr les gens qui sont eux-mêmes haineux. Les personnes qui participent à la guerre et celles qui l'abhorrent sont sur le même chemin. Vivre son quotidien dans la haine et la peur ne change rien à ce qui existe déjà. Quand tout le monde a peur, nous ne faisons que créer davantage de ce qui nous fait le plus peur.

Vous devez être capable d'émettre de l'amour. En ce qui concerne la guerre en Iraq et les problèmes au Moyen Orient, entourez d'amour tous les protagonistes et répétez : « Je ne me suis pas enrôlé pour cela. Ces choses ne font pas partie de ma conscience ». Ayez confiance qu'au bout du compte, ils finiront par trouver la paix. En étant aimant et optimiste en dépit de ce qui se passe autour de vous, vous pouvez changer le champ d'énergie ; vous avez ainsi plus de chance de changer ce qui se passe dans le monde.

Martin Luther King fils a dit que l'amour est le seul moyen de convertir un ennemi à l'amitié. C'est impossible d'y arriver par la violence : si je tue votre famille pour que votre pays devienne une démocratie, je ne fais que créer d'autres familles qui seront remplies de haine, dans vingt ans, en raison de mes actes.

Nous devons nous asseoir et discuter des raisons qui font que l'Occident est détesté par tant de gens dans le monde. Nous ne sommes pas obligés d'être d'accord avec eux. Il suffit de découvrir ce que l'Occident fait d'offensant et de voir comment nous pouvons arriver à un terrain d'entente. C'est ce qu'il faut faire quand, dans une famille, certains membres sont amers et en colère, et non continuer à nous jeter des choses à la tête en devenant de plus en plus furieux.

On porte trop d'attention à ce qui va mal dans notre société. Albert Einstein a dit que la décision la plus importante de votre vie consiste à décider si vous vivez dans un univers amical ou hostile. Quand vous changez votre regard, ce que vous regardez change. Plus qu'une expression facile, c'est une vérité quantique. En effet, en physique quantique, vous modifiez le comportement d'une particule subatomique selon la façon dont vous l'observez. Changez votre vision du monde et vous changez littéralement le monde que vous voyez.

Malheureusement, étant constamment bombardés de mauvaises nouvelles, nous croyons que c'est dans l'ordre des choses. Ce n'est pourtant pas le cas. La bienveillance est un instinct fondamental de l'être humain. Après le passage de l'ouragan Katrina, en 2005, on a recueilli une somme d'argent supérieure à n'importe quelle somme jamais amassée dans toute l'histoire des États-Unis. Le Congrès s'est démené pour rassembler 10 milliards de dollars pour contrer une catastrophe ayant dévasté trois États, ravagé de vastes superficies et déplacé des milliers de personnes. Paradoxalement, au moment de la déclaration de la guerre en Iraq, le Congrès a amassé 400 milliards de dollars en deux ans. Ne serait-il pas intéressant de pouvoir inverser ces résultats?

Au bout du compte, je crois que nous vivons dans un univers amical et que chaque geste de haine et d'horreur est contrebalancé par des millions de gestes bienveillants. Je pense que de plus en plus de gens le croient. J'espère que l'augmentation d'une forme d'énergie spirituelle plus élevée sera suffisante pour compenser les nombreuses personnes qui vivent dans la conscience égoïque et pensent que nous arriverons à la paix à force de massacres. Il faut se contenter de spéculer quant à savoir comment les choses se termineront, mais j'ai l'intuition que le bien triomphera.

Je trouve mon inspiration partout. Être inspiré veut dire «être dans l'esprit» et cela signifie être connecté à la Source. Ma mère m'inspire. Elle a dû lutter contre des forces phénoménales durant la Grande Dépression et la Deuxième Guerre mondiale pour arriver à réunir les membres de sa famille. Gandhi m'inspire. Mère Teresa aussi. Les abeilles, les fourmis, les oiseaux et les papillons m'inspirent. Tout comme un Boeing 747. Et l'air. Le feu m'inspire diablement : qu'est-ce, exactement, et d'où vient-il ? C'est la même chose pour l'eau, qui compose jusqu'à 65 % du corps humain. C'est incroyable !

Presque toutes les personnes que je rencontre m'inspirent. En me promenant dans les rues, je réfléchis au fait que nous sommes tous interreliés et que nous sommes tous ici parce qu'aimer est tellement bon. Imaginez si l'amour partagé et les relations sexuelles nous faisaient sentir moches ! Nous sommes ici parce que nous voulons nous aimer et être proches les uns des autres. Et nous sommes tous arrivés ici de la même façon. Nous faisons tous partie de ce gigantesque festival d'amour, mais nous l'ignorons.

Silja

Pour vous sentir plus sensuels et favoriser les énergies aimantes entre vous et votre partenaire, demandez-lui de vous masser le dos avec de l'huile d'amande, avec des mouvements qui vont dans le sens des aiguilles d'une montre. Une fois qu'il vous aura massé le dos, il pourra passer à d'autres parties de votre corps...

Barefoot Doctor

Quand la chimie entre vous et la personne qui vous intéresse le permet et que les circonstances s'y prêtent, si vous effleurez 18 fois et très légèrement le creux de la face interne de son coude, de l'extérieur vers l'intérieur (bras plié et paume tournée vers le ciel), en terminant par un effleurement vers l'intérieur, en moins de trois heures, vous serez en train de faire l'amour avec elle.

Laura Berridge

Prenez le temps de faire appel à tous vos sens, de vous sentir réellement en vie et «dans» votre corps : écoutez de la musique qui répond à votre état d'âme, massez-vous amoureusement le visage et le corps avec des lotions odorantes (les favorites étant la rose et la vanille) et parfumez-vous avec des fragrances complémentaires. Je choisis mes couleurs et mes vêtements en vue d'orner ma Déesse intérieure, de refléter mon état d'âme et de caresser mon corps avec des textures sensuelles. Pour finir, je médite afin d'ouvrir doucement mes chakras : je me vois entrer dans un jardin splendide… devenir le jardin… puis la fête dans le jardin…

• •

Chuck Spezzano

Je crois que le travail que je fais actuellement peut beaucoup aider le monde à se défaire de son oppression sexuelle et de ses perversions. En fait, mon sens de l'humour paillard et outré correspond tout à fait à la tâche. Un humour infini se niche au creux des relations et de la sexualité. Je crois qu'avant de m'incarner, j'ai promis entre autres d'aider l'humanité à revenir au naturel.

La sexualité et le corps sont deux illusions dans un monde de rêves, mais sur le plan sexuel, trop de gens sont encore prisonniers de la honte, de la culpabilité et du karma. Comme le dit *Un Cours en miracles* de la Foundation for Inner Peace : « Cela n'a pas besoin d'être. » À mon avis, nous devrons nous libérer de la grande illusion de la souffrance et du jugement sexuels avant d'être en mesure d'échanger les illusions du corps et de la sexualité pour la joie de la communion des âmes.

Il semble que nous disposions donc de millions et de millions d'années encore pour nous guérir de notre souffrance sexuelle ; nous ne la transcenderons entièrement qu'en tant qu'êtres de lumière. D'ici là, par contre, beaucoup de raisons de rire et de guérir s'offrent à nous, et quand nous y arrivons, nous célébrons dans l'amour, le respect… et la luxure !

. . . .

Leora Lightwoman

Mon approche du tantra

Le tantra est la voie de l'extase spirituelle et sexuelle. Par extase, j'entends aller au-delà de l'ordinaire, dépasser le cadre de référence habituel. Néanmoins, je considère que le tantra est essentiellement une voie qui permet de reconnaître notre humanité essentielle avec plus de profondeur et de compassion. C'est un merveilleux paradoxe. La vie et la sexualité extatiques s'installent quand on vit pleinement sa vie au moment présent. C'est dans le moment présent que nous rencontrons nos limites, nos croyances, nos émotions et notre vulnérabilité.

Souvent, nous voulons changer certains aspects de nous-mêmes. Or, plus nous sommes disposés à ressentir et à accepter simplement notre expérience du moment, plus le ressenti qui nous habite s'efface rapidement. Tôt ou tard, la joie, la béatitude et la passion naturelles de notre être se manifestent. Nul besoin de partir en quête de l'extase ; il faut juste la reconnaître dans les petites choses et cesser de toujours chercher à l'atteindre et la bloquer.

À cet égard, les jeunes enfants ont beaucoup à nous apprendre : naturels, spontanés, vulnérables et excitables, ils savent comment jouer, rire et avoir du plaisir. Si nous arrivons en tant qu'adultes à vivre de manière à nous imprégner de ces qualités, notre vie et notre sexualité pétilleront tout naturellement. Quand votre vie quotidienne et votre expérience intérieure sont sensuelles, érotiques, scintillantes et douces, vous n'êtes plus intéressé(e) à partir à la recherche des orgasmes les meilleurs et les plus intenses, ni du (de la) partenaire follement séduisant(e) pour vous les donner. Votre satisfaction et votre intimité augmentent.

En ce qui me concerne, j'ai d'abord été attirée par le tantrisme parce que je voulais de meilleurs orgasmes. Je pensais qu'ils m'apporteraient davantage d'intimité et d'épanouissement. J'ai trouvé l'épanouissement, l'intimité et l'autoresponsabilisation d'abord, les orgasmes ensuite. En étant ouverte et disponible, j'ai découvert que l'Univers, ce grand mystère, avait l'espace pour m'habiter, et que la béatitude et l'union véritable pouvaient alors s'ensuivre.

· ·

Alicen Geddes-Ward

Voici mon secret : vous n'aurez qu'à combler les vides…

En suivant l'art des fées, j'ai appris que la sexualité ne se limite pas aux rencontres physiques, mais qu'elle peut aussi être vécue sur le plan astral. En 2000, j'ai vécu l'une des plus intenses expériences oniriques de ma vie, au terme de laquelle on m'a dit : «La sexualité est un art spirituel». Quand vous empruntez la voie féerique, vous êtes libre, sexuellement parlant; vous pouvez faire l'expérience de la liberté de l'esprit intérieur et vous connecter à la lumière.

Le royaume des fées est un endroit d'attirance sexuelle magique, où les fées sont les personnifications spirituelles de la nature, les éléments les plus érotiques de la Terre. La nature est sexualité, un des ingrédients qui forment l'étincelle magique de la vie. Nul besoin d'une rencontre physique pour s'unir à cette énergie créatrice : une rencontre imaginaire peut mener à des expériences astrales, que vous en soyez activement conscient ou que vous la viviez involontairement au pays des rêves. La sexualité est la rencontre de deux mondes; parfois même, c'est un chemin pour pénétrer dans le royaume des fées et se fondre dans l'autre afin d'expérimenter un aspect béatifique du divin.

Adam Fronteras

Nos rêves nous dévoilent souvent nos désirs sexuels. Parfois, c'est le moyen que nous choisissons pour permettre à notre mental de vivre des choses et des situations que nous trouverions inconfortables dans la vie éveillée. Les rêves de nature sensuelle ne devraient pas nous effrayer. Même quand ils sont bizarres, ils n'indiquent pas nécessairement que nous voudrions vraiment les vivre; en fait, le rêve représente un environnement sécuritaire où nous pouvons en faire l'expérience.

Kate West

À mon avis, la sensualité et la sexualité ne sont pas indissociables. Dans la vie, plusieurs choses parmi les plus sensuelles ont très peu à voir avec la sexualité, sinon pas du tout : l'odeur d'un pain tout juste sorti du four, un chat qui se frôle contre mes jambes nues, la sensation de la pluie printanière sur ma peau, le goût des crevettes fraîchement cuites qu'on mange assis en regardant l'océan. Pour m'enthousiasmer et me remplir d'énergie, rien de mieux qu'un bon gros orage !

En l'absence d'un orage (après tout, il serait injuste de passer mon temps à les invoquer simplement parce que j'en ai envie), j'aime prendre un bain aux chandelles, avec des bulles et des huiles aromatiques, et m'asseoir ensuite devant un bon feu pour boire du vin et grignoter de petits carrés de chocolat très noir.

SIGNES ET SORTILÈGES,
CHANTS ET ENCHANTEMENTS

Silja

J'aime quand les sceptiques s'enflamment devant un sortilège qui fonctionne.

Quand j'étais au collège, une de mes amies, étudiante au troisième cycle, avait de la difficulté avec une étudiante de même niveau avec laquelle elle partageait un bureau. Cette fille se moquait de ses recherches et dénigrait son travail devant leur superviseur, ce qui était en voie d'affecter la confiance en soi de mon amie.

Je lui ai donc offert de lui enseigner un sortilège pour l'aider. Elle m'a répondu qu'elle n'était pas une sorcière, qu'elle ignorait comment jeter un sort, et qu'en conséquence, il resterait sans résultat. Je lui ai expliqué que même si l'expérience est utile, des novices pouvaient réussir de simples sortilèges.

Je lui ai suggéré de former un pentagramme avec cinq crayons rouges et d'en diriger une pointe vers sa collègue afin de neutraliser son énergie négative. Une semaine plus tard, celle-ci se voyait obligée de s'attaquer à un énorme travail de dactylographie pour leur superviseur… De ce fait, elle est devenue beaucoup trop occupée pour harasser mon amie !

Une autre fois, j'étais en voiture avec une nouvelle participante à notre assemblée de sorcières. Je me rendais en ville avec elle pour assister à une pièce de théâtre, mais comme c'était un vendredi soir, nous n'arrivions pas à trouver une place pour garer la voiture. J'ai donc sorti un morceau de chocolat de mon sac à main et, en le tenant devant le rétroviseur, j'ai prononcé l'invocation suivante :

« Fée du stationnement, trouvez donc pour nous
une place assez large pour un autobus
Un peu de chocolat, j'ai ici pour vous
Vous ne regretterez pas ce petit coup de pouce! »

Ma compagne a éclaté de rire en me voyant agiter le chocolat devant le rétroviseur, mais son rire s'est vite éteint quand, en y jetant un coup d'œil, elle a vu une voiture libérer l'espace de stationnement idéal, à 20 mètres de l'entrée du théâtre!

J'ai commencé ma carrière de sorcière par la méditation et la lecture du tarot. J'imagine que mon premier acte magique a été de pratiquer un sortilège d'argent : alors étudiante, j'étais pauvre et je voulais assister à un spectacle.

J'ai allumé une chandelle verte et demandé à recevoir de l'argent sans que quiconque ait à en souffrir (il faut être prudent avec les sorts d'argent pour ne pas en obtenir à la suite d'un accident pour lequel vous obtiendrez une compensation, par exemple, ou grâce à un héritage suivant le décès d'un être cher). Le lendemain, j'ai bien trouvé 7 € (environ 12 $ CA) sur le sol, mais ce n'était pas suffisant pour payer mon billet.

Croyez-le ou non, je pratique rarement des sorts pour moi-même. Je les considère comme des outils de dernier recours une fois que j'ai tenté tout ce qui était en mon pouvoir sur le plan pratique.

Par contre, j'utilise fréquemment certains ingrédients et techniques magiques.

Je recommande souvent différentes versions d'une visualisation très populaire : elle consiste à imaginer une bulle de lumière curative bleue autour d'une personne malade ou qui a besoin de protection.

Parmi les ingrédients dont je me sers souvent, je citerai la muscade pour la chance, l'ambre pour favoriser les bonnes relations, le quartz rose pour l'amour, et les feuilles de basilic pour magnétiser l'argent à soi.

Pour la chance et le succès :

Ajoutez 45 ml (3 c. à table) de muscade moulue à un bain chaud dans lequel vous vous immergerez complètement trois fois après avoir dit :

> *« Que la chance tourne en ma faveur / je le commande, que cela soit ! »*

Pour attirer le succès sur le plan de l'argent ou des affaires, portez sur vous cinq amandes, idéalement dans leur écale.

Le meilleur sortilège qui soit :

Pour moi : conserver dans mon porte-monnaie un penny de cuivre recouvert de cire verte afin de toujours avoir de l'argent – ce qui a été le cas même quand j'ai été au chômage pendant plus de six mois.

Selon les suggestions de mes lecteurs : pour réunir deux personnes, si leur destin est d'être ensemble, ou pour renforcer une relation aux liens relâchés, placez deux chandelles roses (s'il s'agit d'une amitié plutôt que d'une relation amoureuse, servez-vous de chandelles jaunes) sur le manteau d'une cheminée, à environ un mètre l'une de l'autre. Chaque jour, faites-les brûler pendant dix minutes ou plus, en pensant au bonheur que vous vivrez quand vous serez à nouveau réunis et à ce que vous ferez pour contribuer à la santé de votre relation. Éteignez les chandelles et rapprochez-les de deux ou trois centimètres. Répétez ce rituel tous les jours jusqu'à ce que les chandelles se touchent, puis laissez-les se consumer jusqu'au bout.

• •

Carina Coen

Porte-bonheur : c'est sans contredit mon magnifique minisac à main, en forme d'adorable licorne duveteuse, qui me porte chance. D'ailleurs, il fait toujours sourire les gens, et les femmes se demandent s'il s'agit d'un sac à main griffé.

Rituel : prendre un bain avec mes amis les sirènes, les tritons et les fées, bien entendu !

Mantra porte-bonheur :

« Hier est terminé
Demain est un mystère
Le présent est aujourd'hui, alors PROFITEZ-EN ! »

Sonia Choquette

J'utilise quelques mantras pour m'aider :

« *OM Mane Padme OM* » pour la guérison, l'expansion et les bénédictions.

« Élohim » pour l'abondance et la manifestation.

Pour couper les liens et me libérer des énergies négatives, je me sers du mantra égyptien « *Su HETP NA !* ».

Et chaque jour, quand on me demande comment je vais, je réponds : « Je mène une vie enchantée. »

Et c'est le cas.

Cassandra Eason

Je vis à cinq minutes de l'océan. Avant de partir de chez moi, je me rends toujours sur le rivage pour recueillir un peu d'eau dans une bouteille de verre à couvercle dévissable et je dis : « Protège-moi jusqu'à mon retour. »

Ensuite, j'enfouis la bouteille sous les racines de mon buisson de lavande favori, dans mon jardin. Quand je reviens à la maison, je vais sur la grève vider l'eau de la bouteille dans l'océan et je dis : « Je te retourne ce qui est à toi. Merci d'avoir assuré ma protection. »

LES SECRETS POUR LE FOYER

Summer Watson

Le génie du lieu

Peu importe où vous êtes et ce que vous faites, vous êtes en relation magique avec la terre sous vos pieds. Où que vous soyez – en train de vous détendre à la maison, de travailler dur au bureau ou de méditer sur le sommet d'une montagne –, vous êtes influencé par les énergies que la Terre émet à cet endroit, autant qu'elles le sont par votre présence. Les êtres humains ont toujours pratiqué cette danse exquise avec le génie du lieu, et une joie profonde naît chez qui apprend à s'ouvrir à cette réalité, surtout dans son foyer.

La Terre est un être vivant quadrillé de lignes d'énergie, très semblables aux méridiens qui parcourent notre corps. Ces lignes, parfois nommées lignes de champ, coulent comme des rivières portant des courants d'énergie qui influencent notre santé, notre chemin de vie, notre chance et notre âme elle-même. Votre vie peut être incroyablement transformée par les énergies qui circulent dans votre foyer ; or, si vous êtes capable de les « lire », vous pourrez travailler positivement avec elles. En examinant votre maison – sa forme, son orientation par rapport aux points cardinaux, son histoire – et en vous servant de la rhabdomancie pour identifier les énergies souterraines, vous pourrez révéler sa véritable « personnalité » et établir avec elle une relation dont vous tirerez profit. À mon avis, ce n'est pas le hasard qui nous attire dans les lieux où nous vivons : nos maisons nous choisissent autant que nous les choisissons !

Grâce à mon travail, j'ai été en contact avec des propriétés présentant toutes sortes de caractéristiques : maisons riches, maisons pauvres, maisons qui nourrissent les relations ou qui n'en font rien, maisons créatives, malades, hantées, maisons chanceuses ou qui portent la malchance. Si vous voulez enrichir votre vie et votre âme, je vous encourage à apprendre à connaître votre maison de cette manière, à établir un lien d'amitié avec elle, et peut-être même, à découvrir pourquoi le destin vous a réunis.

Gina Lazenby

J'ai toujours eu le sentiment que nos maisons sont à l'image de ce que nous sommes ; je le fais remarquer à mes clients pour les encourager à réfléchir à la façon dont l'environnement de leur foyer reflète ce qui se passe dans leur vie. En ce qui me concerne, mes expériences en la matière ont été aussi profondes qu'éclairantes. Comme je vis maintenant dans deux maisons différentes – l'une à Londres et l'autre dans le pays vallonné du Yorkshire –, j'ai eu de bonnes occasions de mettre ma théorie à l'épreuve.

Quand la chaudière brise dans une maison, celle de la seconde fait généralement défaut à peu près au même moment. Quand la machine à laver a fait défaut dans le Yorkshire, celle de Londres a évidemment suivi le mouvement. La nuit où l'eau a été mystérieusement coupée à Londres, la pompe à eau de la maison du Yorkshire s'est arrêtée moins d'une heure après ! Le jour où une tentative de cambriolage a eu lieu dans ma résidence londonienne, je me suis immédiatement inquiétée pour ma maison du Yorkshire, d'autant que je me préparais à partir pour une semaine. Bien qu'il n'y ait pas eu effraction, quand je m'y suis rendue, j'ai découvert que nous avions bel et bien été cambriolés, non pas par des humains, mais par des animaux. En effet, un troupeau de moutons avait envahi notre jardin et dévasté presque tous les arbustes !

Chaque fois que des événements de ce genre se produisent en double, je me questionne sur leur signification et sur ce que l'expérience m'apprend. Invariablement, quand je suis forcée de m'arrêter et de prêter attention à ce qui se passe autour de moi, mes réflexions et mes méditations m'amènent nécessairement à changer quelque chose dans ma façon d'être de manière à me remettre sur la bonne voie, entraînant ainsi le retour à la normale à la maison. Il est vraiment intéressant de considérer sa maison comme une enseignante.

• •

Cassandra Eason

Ma boule de cristal en quartz transparent est ma possession favorite. Comme elle m'accompagne en voyage et que plusieurs enfants l'ont utilisée comme jouet, elle est passablement craquelée. Je m'en sers de bien des façons : comme centre et rappel de mon foyer dans les chambres d'hôtel impersonnelles, comme outil de guérison rempli de la lumière du soleil et de la lune, pour lire les images qu'elle dévoile quand la voie n'est pas claire et que j'ai besoin d'être guidée ou de guider autrui. Je l'utilise aussi pour communiquer avec mon ange gardien surmené, une femme d'âge mûr qui trouve difficile d'attirer mon attention, étant donné que je vis à cent à l'heure. Quand je pose mes paumes sur ma boule de cristal, j'établis un contact qui rassemble les aspects éparpillés de ma psyché, calme mes nerfs survoltés avant une conférence ou une émission importantes et me centre quand je suis loin de la maison.

. . . .

Sarah Shurety

Dans l'astrologie chinoise, je suis un Rat de métal. Fait pour survivre, le Rat est charmant, ouvert et loyal. Il tend à être un meneur, un communicateur éloquent et toujours en mouvement. Il peut se révéler impatient et manquer de discrétion quand il s'agit de taire un secret.

Ma grand-mère m'a enseigné que le mot «incapable» n'existe pas.

Je n'accorde pas de valeur à une possession en particulier. Le concept du feng shui établit que nous arrivons sur Terre sans possession et que nous la quittons de la même manière; aussi ne devrions-nous jamais accorder une grande valeur aux objets. Le trésor que je chéris le plus, c'est l'amour et le soutien de ma famille, de mon partenaire et de sa belle fille, de mes amis et des animaux qui sont dans ma vie.

Pour la chance, je me sers toujours de mon sac à main vert, un accessoire de feng shui spécial qui contient des jetons de consultation du I Ching et m'aide à maintenir l'équilibre entre l'argent, la santé et l'amour.

J'aime suivre de nouveaux cours de croissance personnelle, étudier des processus de guérison alternatifs comme la macrobiotique, l'acupuncture, les herbes chinoises, la médecine ayurvédique ou la PNL, fréquenter un ashram ou faire une cure de détoxification et de régénération.

L'idée que je me fais du parfait bonheur consiste à faire un pique-nique et à admirer le coucher du soleil avec Mike Yuille, mon partenaire et meilleur ami.

Comme le monde est au milieu d'un cycle de vie de célibat, selon le feng shui, nous devons travailler à nos relations. Cela signifie qu'il est plus difficile de poursuivre une relation heureuse, étroite et tolérante avec nos partenaires et nos familles. Mike et moi avons placé une photo de nous deux – les yeux dans les yeux ou en train de nous embrasser – dans presque toutes les pièces de la maison ; nous avons aussi beaucoup d'œuvres d'art représentant des couples qui paraissent sincèrement amoureux. Notre amour s'en trouve renforcé. Il est aussi important de ne pas répandre de «poison» en se plaignant des gens qu'on aime.

Louise L. Hay

Bénissez votre travail

Occupez-vous actuellement un emploi que vous n'aimez pas, accomplissant vos tâches dans le seul but d'obtenir un salaire? Vous sentez-vous blasé et prisonnier d'une routine? Eh bien! Vous pouvez certainement changer la situation grâce à quelques actions positives. Les idées qui suivent pourront vous sembler farfelues ou trop simples, mais je sais qu'elles fonctionnent, car j'ai vu un nombre incalculable de gens améliorer radicalement la qualité de leur vie professionnelle grâce à elles.

L'outil le plus puissant que je peux partager avec vous pour transformer une situation est le pouvoir de *bénir avec amour*. Peu importe où vous travaillez ou votre opinion sur votre lieu de travail, *bénissez-le avec amour*. Je veux dire littéralement : ne vous contentez pas d'essayer d'entretenir des pensées positives vagues et générales. Dites plutôt : «Je bénis mon travail avec amour». Trouvez un endroit où vous pourrez prononcer la phrase à haute voix, car exprimé ainsi, l'amour dégage une énorme puissance.

Ne vous arrêtez pas là! Bénissez avec amour tout ce qui se trouve dans votre milieu de travail : l'équipement, l'ameublement, la machinerie, les produits, les clients, vos collègues de travail et vos patrons, tout ce qui est associé à votre emploi. Les résultats seront extraordinaires.

Vous éprouvez certaines difficultés personnelles avec un ou une collègue? Servez-vous de votre esprit pour changer la situation. Les affirmations sont incroyablement efficaces dans ces cas-là. Affirmez : « *J'ai une merveilleuse relation avec tout le monde au travail, y compris avec __* » Vous serez renversé de constater à quel point votre relation s'améliore. Peut-être une solution que vous ne pouvez même pas imaginer en ce moment se présentera-t-elle. Prononcez simplement les mots et laissez l'Univers s'occuper des détails.

Si vous envisagez de changer d'emploi, bénissez votre emploi actuel et ajoutez l'affirmation suivante : « Je laisse cet emploi à la prochaine personne, qui sera vraiment contente d'être ici ». Quand vous l'avez décroché, cet emploi était idéal pour vous. Maintenant que votre estime de soi a grandi, vous êtes prêt à passer à quelque chose de mieux. Votre affirmation devient alors : « Je sais qu'il y a des gens sur le marché du travail qui cherchent exactement ce que j'ai à offrir. J'accepte maintenant un emploi qui met à contribution toutes mes capacités et ma créativité. Cet emploi est profondément épanouissant et c'est toujours une joie pour moi de me rendre au travail. Mes employeurs m'apprécient à ma juste valeur. L'édifice est clair, spacieux et parfaitement situé. Il y règne une atmosphère enthousiaste. Je suis bien payé et j'en suis profondément reconnaissant. »

Si vous détestez votre emploi actuel et changez de travail, vous risquez de traîner votre haine avec vous. Donc, même si votre nouvel emploi est excellent, vous en arriverez rapidement à le détester, puisque vous aurez traîné avec vous les pensées et les sentiments qui vous habitent actuellement. Si vous vivez dans un monde de mécontentement, vous le retrouverez partout où vous irez. Ce n'est qu'en changeant votre conscience maintenant que vous commencerez à récolter des résultats positifs dans votre vie. Si vous agissez ainsi, lorsque votre nouvel emploi se matérialisera, il sera idéal et vous serez capable de l'aimer.

Alors, si vous détestez votre emploi actuel, essayez l'affirmation suivante : « J'aime toujours l'endroit où je travaille. J'ai les meilleurs emplois. Je suis toujours apprécié à ma juste valeur. » Grâce à vos affirmations continues, vous vous créerez une nouvelle loi personnelle et l'Univers répondra à vos attentes. Qui se ressemble s'assemble ; si vous la laissez faire, la Vie trouvera toujours le moyen de vous faire accéder à votre bien.

LES SECRETS DE LA TERRE

Jon Sandifer

Pour moi, le moyen le plus puissant pour me sentir en communion avec le monde et l'univers consiste à dormir sous les étoiles. J'ai passé six ans à voyager à travers le monde, soit de 17 à 23 ans, et je ne compte plus le nombre de nuits où j'ai dormi à la belle étoile. C'est l'expérience la plus vivifiante qui soit. J'ai eu la chance de dormir dans des endroits vraiment excitants, dans le Sahara, en Afghanistan, sur le Kilimandjaro, sur les plages d'Indonésie et de Malaisie, ainsi que dans les Seychelles. Par contre, on peut vivre la même chose sur un toit plat en pleine ville.

Le meilleur endroit pour méditer est évidemment un lieu tranquille. Je l'ai appris à mes dépens à l'âge de 17 ans. J'avais fugué de l'école et j'habitais une grotte à Formentera, en Espagne. Tôt le matin, je voyais un hippy français se pointer et se rendre nonchalamment jusqu'à un haut pilier rocheux déchiqueté, à quelque 10 mètres au-dessus de la ligne des hautes eaux. Je l'observais avec admiration tandis que, vêtu d'un sarong, il grimpait jusqu'au sommet du pilier où il s'installait dans la position du lotus face au soleil levant. Ouah! Je me disais que c'était quelque chose à apprendre. Aussi, après l'avoir observé quelques matins, j'ai décidé de tenter le coup. Or, j'ai choisi un matin particulièrement orageux pour ma première escalade. J'ai grimpé jusqu'au sommet du pilier, vêtu seulement d'une serviette nouée autour de ma taille, et je me suis assis dans la position du lotus, face à la même direction, sans aucune idée de ce à quoi je devais m'attendre. Le pilier était battu d'énormes vagues déferlantes qui propulsaient leurs jets d'écume au-dessus de ma tête. C'était grisant et je me suis dit que si c'était ça, la méditation, j'en redemanderais. Mais la troisième vague m'a fait dégringoler du sommet et je suis tombé le long du pilier, récoltant en chemin quelques coupures dont certaines m'ont laissé des cicatrices encore visibles aujourd'hui. J'ai tiré une bonne leçon de cette expérience : pour méditer, il faut trouver un endroit paisible, mais qui est aussi sécuritaire et sans danger !

• •

Penney Poyzer

Q. *Possession favorite, et pourquoi ?*

R. Ma guitare classique que j'ai eue quand j'avais cinq ans. Comme j'ai gardé très peu de biens de mes jeunes années, elle est très spéciale. J'en joue toujours et elle a une tonalité douce et merveilleuse.

Q. *Moyen secret, respectueux de l'environnement, pour vous dorloter ou vous guérir, qui vous fait sentir remarquablement bien ?*

R. La vie dans ma maison écologique est très curative. Tout ce qui la concerne me procure du bien-être, qu'il s'agisse de fendre du bois pour la chaudière à chauffage, de savoir qu'elle ne contient aucune toxine ou de cuisiner des aliments provenant de notre panier biologique hebdomadaire. La qualité de ma vie est remarquable et j'en suis extrêmement reconnaissante.

Q. *Trucs de régime et d'exercice infaillibles, dont l'impact sur la planète est minimal?*

R. Notre régime alimentaire ne contient aucun aliment traité : tout est cuisiné à partir d'aliments frais, biologiques à 90 %. J'aime ma bicyclette : outre qu'elle est pratique, c'est un excellent moyen de transport. La selle a la forme d'un sofa, ce que mon derrière aime beaucoup !

Q. *Rêve le plus intense et le plus transformateur?*

R. J'avais environ 18 ans quand j'ai fait un horrible rêve récurrent sur la guerre nucléaire. Dans mon rêve, les oiseaux avaient cessé de chanter et il y avait une bicyclette d'enfant abandonnée au milieu de la rue, dont la roue arrière continuait de tourner lentement. J'étais dévastée devant la disparition de toutes les formes de vie causée par une guerre injustifiée. Une fois cette image surmontée (je m'en souviens comme si c'était hier), j'ai juré d'investir un maximum d'énergie positive dans la planète. C'est encore mon mantra aujourd'hui.

Q. *Croyances profondes qui vous aident à tenir le coup quand les choses vont mal?*

R. Je place ma confiance dans l'Univers, et quand mes ressources sont au plus bas, je me tourne vers lui pour qu'il me donne un surcroît d'énergie.

Q. *Qui ou qu'est-ce qui vous inspire, et pourquoi?*

R. Gandhi est une source constante d'inspiration. Qu'une seule personne puisse accomplir autant, à l'aide de moyens non violents, démontre que le pouvoir de l'esprit et l'amour de l'humanité sont d'excellents exemples pour illustrer comment l'esprit humain peut atteindre un état élevé et devenir une source intarissable de bonté.

Q. *Rêve secret pour améliorer le monde ?*

R. Pour commencer, se débarrasser de Blair et de Bush. Ensuite, élire des leaders avec une conscience et une vision.

Q. *Secrets de l'avenir – que savez-vous de l'avenir de notre planète ?*

R. Je crois que nous serons confrontés plus rapidement que prévu aux problèmes entourant les réserves mondiales d'eau potable et l'élévation du niveau des océans. Au cours des cinq prochaines années, en raison des faibles précipitations, il y aura d'énormes pertes de vie causées par la soif et l'absence de nourriture. Je crois que l'été prochain, le Royaume-Uni se verra imposer un rationnement d'eau. Au cours des cinq années à venir, il y aura davantage d'inondations de nos régions côtières, ainsi que plus d'inondations en Europe et en Chine.

Jude Currivan

Un message à notre intention...

Même si l'apparition des agroglyphes (*crop circles*) remonte à plusieurs siècles, ce n'est qu'au cours des dernières décennies que ces formations complexes ont suscité des réactions qui vont de l'émerveillement au mépris.

Bien que le phénomène soit en train de se répandre partout dans le monde, son centre se situe dans la campagne du sud-ouest de l'Angleterre, en particulier dans les vallons crayeux – la terre blanche – entourant Avebury.

À cet endroit, la formation de ces « temples temporaires », qui présentent souvent une harmonie géométrique, résonne puissamment avec cette terre sacrée et ses monuments qui datent de l'époque néolithique, il y a six millions d'années.

La recherche suggère que la formation des agroglyphes est due à des vortex de champs électromagnétiques et des énergies soniques. Bien que les plantes touchées par ces mandalas vivants ne soient pas affectées, les schémas de croissance subséquents de leurs graines présentent des différences significatives par rapport aux graines des plantes voisines, intouchées par ailleurs.

Les réponses quant au motif de leur création et à l'identité de leurs créateurs restent une énigme. En dépit des prétentions de supposés mauvais plaisants, la preuve accumulée est incapable de soutenir l'hypothèse selon laquelle l'intervention humaine, facile à écarter, serait à l'origine de leur existence.

Plutôt que de m'arroger un rôle dans le débat souvent houleux qui entoure les agroglyphes, j'ai choisi de me concentrer sur leur message, plutôt que sur l'identité du messager ou sur la façon dont le message est transmis.

* * * *

J'avais 43 ans quand j'ai été initiée au message des agroglyphes. C'était en 1995 et l'expérience a été si autonomisante que quelques mois plus tard, j'ai déménagé pour vivre au cœur du paysage d'Avebury.

Au début, ma quête consistait à comprendre le phénomène. Mais, à mesure que je me permettais de lâcher prise sur mon besoin inné d'en comprendre les détails, j'ai commencé à expérimenter sa magie plus profonde. En m'ouvrant aux leçons qui m'étaient offertes, j'ai eu le privilège répété de recevoir des indices intuitifs et d'être nourrie par Gaia, la Terre vivante. Comme beaucoup d'autres, j'ai commencé à percevoir sa bienveillance comme un signe avant-coureur de changement, dans la mesure où nous sommes disposés à écouter. Sur le plan personnel, j'ai été guidée sur un chemin de guérison intérieure et encouragée à me sensibiliser davantage aux énergies subtiles et à la douce voix de l'Esprit.

J'ai bientôt compris que j'étais capable de communier avec les devas et les élémentaux des lieux et avec les gardiens éthériques des sites anciens. Un monde merveilleux de sagesse du cœur s'est alors révélé à moi, dont je continue à explorer les profondeurs et pour lequel je serai toujours éternellement reconnaissante.

* * * *

Un agroglyphe en particulier est devenu la semence de révélations ultérieures. Un bel après-midi de mai 1998, ma guidance supérieure m'a transmis un message apparemment inoffensif, m'indiquant de « me rendre le lendemain à Silbury Hill ».

Le matin suivant, en approchant de ce nexus énergétique du paysage d'Avebury, j'ai vu une formation dans le champ de colza au sud de la colline. Sa splendeur m'est apparue dans toute sa totalité une fois que je suis arrivée au sommet de la colline : il s'agissait d'un disque doré d'une soixantaine de mètres de diamètre.

Tandis que je me mettais à l'écoute de son énergie, j'ai été envahie d'un profond sentiment de paix, comme si toutes mes questions avaient trouvé réponse ; or, je ne comprenais pas quelles avaient été ces questions !

La semence de cette expérience a germé en moi pendant neuf mois au cours desquels la vie que j'avais connue s'est désagrégée : mon mariage a volé en éclats, j'ai perdu ma maison et ma vie professionnelle s'est effondrée. Néanmoins, au terme de cette gestation, j'étais prête à entreprendre les premières étapes d'un voyage extérieur qui allait me conduire autour le monde, en même temps qu'un périple intérieur dépassant l'imagination.

* * * *

Ma guidance supérieure m'a dit que l'agroglyphe de Silbury Hill, semblable à un disque, était le reflet d'un disque éthérique enfoui sous la colline. Ajoutant qu'il s'agissait de l'un des 12 disques disséminés à travers le monde, elle a précisé que l'activation de leurs énergies curatives viendrait appuyer les mouvements de conscience individuels et collectifs.

Bien que multidimensionnels, ces disques existent principalement sous forme éthérique ou spirituellement élevée. Ils sont connectés à la grille éthérique de la Terre, à la conscience de notre mandat d'âme individuel et collectif, à l'ensemble du système solaire – ou « sol-âme » – et à la galaxie. Ce sont les Élohim – les guides spirituels de l'évolution de notre système solaire – qui ont donné ces disques au peuple de la Lémurie il y a trente-neuf mille ans.

On pourra croire à de la science-fiction, mais ces disques et la grille éthérique de la Terre sont connus des géomanciens depuis des millénaires. Platon a été le premier à mentionner la grille terrestre en forme de dodécaèdre, il y a deux mille cinq cents ans. Au cours des années 1970, trois chercheurs soviétiques ont présenté une grille des énergies terrestres correspondant à la compréhension des anciens, laquelle équivaut, en termes physiques, aux lignes de tension électromagnétique entourant la planète.

* * * *

Au moment opportun, j'ai reçu l'inspiration d'organiser un pèlerinage de 12 voyages sacrés autour du globe, afin d'activer les disques. Cette aventure a duré trois ans, couvert 12 pays, et rassemblé presque 70 âmes de tous les horizons et de tous les pays, allant d'un jeune adolescent à quelques personnes presque octogénaires. L'objectif initial de transformation globale s'est mué en une révélation du destin humain et planétaire.

Au fil de nos voyages, de l'information plus intense a circulé et nous avons expérimenté un flot incessant de synchronicités et de validations qui se sont avérées cruciales pour aider notre groupe à trouver un sens à l'ensemble de son expérience.

Nous devions avoir accompli les 12 voyages au début de novembre 2003. Énigme ultime, une « treizième clé maîtresse » devait être activée à Avebury le 23 décembre 2003.

Au fil de notre progression, en Afrique du Sud, en Chine, en Alaska, au Pérou, au Chili (le plus près que nous avons pu nous rapprocher de l'Antarctique), sur l'île de Pâques, en Australie, en Nouvelle-Zélande, à Hawaï, à Madagascar et en Angleterre, il est devenu apparent que nos expériences et les compréhensions que nous intégrions facilitaient la guérison des membres du groupe, des peuples et des terres que nous visitions, ainsi que de l'humanité dans son ensemble. Nous vivions une aventure incroyable.

Initialement, j'avais imaginé que la guérison se produirait au moment où nous activerions les énergies des disques, en les syntonisant, en priant et en nous connectant énergétiquement à notre conscience supérieure. Cependant, nous avons vite compris qu'en soi, chaque voyage était un pèlerinage de guérison, porteur de leçons profondes.

Chacun répondait à un thème lié au lieu visité, à son peuple et à son histoire. Nous avons également obtenu une validation supplémentaire quand nous avons découvert des légendes locales présentant certaines associations pertinentes avec les disques solaires.

La connaissance acquise durant ces voyages s'est traduite par un processus de guérison du cœur en 12 étapes, axé sur la transcendance de la conscience ancrée dans la personnalité, dans le but d'incarner une perception beaucoup plus expansive de l'Unicité du cosmos.

Au bout du compte, l'aventure, à laquelle ont participé les gardiens indigènes de la sagesse d'un peu partout dans le monde, a servi à mettre au jour une compréhension profonde de notre héritage humain et extraterrestre, accessible à tous. Le point culminant a eu lieu au moment de l'alignement astrologique de la concordance harmonique, en novembre 2003 ; il a été guidé afin de contribuer au mouvement collectif de conscience annoncé dans les prophéties de nombreuses traditions spirituelles.

* * * *

L'activation complète des énergies des disques et leur connexion à la grille planétaire contribuent à modifier non seulement la conscience humaine, mais aussi celle de Gaia et de notre système solaire dans son ensemble. En activant la treizième clé maîtresse, nous avons reçu la révélation ultime qu'il s'agissait de l'ouverture d'un portail collectif vers la conscience galactique.

Je crois que nous vivons les temps cruciaux annoncés par les maîtres mayas. À mesure que se rapprochent les années 2012-2013, nous pouvons, en tant qu'individus, choisir de devenir les cocréateurs qui recréeront les liens avec Gaia et l'ensemble du cosmos sur les plans spirituel, émotionnel et physique.

En conséquence de ce choix, notre conscience prend une expansion qui dépasse les confins du soi égoïque. L'incarnation de notre conscience totalement interconnectée nous permet de résonner avec une perception encore plus vaste du cosmos, retour au foyer de la totalité de ce que nous sommes *réellement*.

Comme je l'ai moi-même découvert, quand nous sommes disposés à écouter, l'Esprit nous présente des portails qui nous sont propres vers la conscience de notre destin.

Pour moi et pour plusieurs autres, les agroglyphes ont ouvert l'un de ces portails. À travers les âges, ces sites universels sacrés ont représenté des hologrammes micro-cosmiques de l'Esprit, ouvrant le cœur, l'esprit et les buts de l'être humain à une compréhension plus vaste de l'Univers et de la place qui lui revient.

* *

Dawn Breslin

Chaque jour, je cours dans la forêt et il m'arrive d'avoir la sensation de toucher son énergie magique. Je la respire, mon âme baigne dans les images que je vois, les couleurs sont incroyables... et changent chaque jour.

J'adore les cycles de la vie et de la nature. Ma course quotidienne à l'extérieur me permet de faire partie de la nature. En contact avec la Terre, les éléments, la température et le miracle du cycle de la croissance, de la vie et de la mort : tout cela me séduit et me fait sentir merveilleusement vivante !

La magie de la nature m'inspire l'humilité. Elle me rappelle que même si je vivais dans une caravane, sans argent, sans possessions ni rien, je serais tout de même heureuse. La nature est un élément de base garanti : elle est gratuite et elle est là, sous forme d'énergie positive, pour chacun de nous.

Certains jours, quand je parle aux animaux que je rencontre en courant, leur façon de bouger ou de communiquer me fait rire et remplit mon cœur de joie. Parfois, je regarde une nouvelle plante qui émerge de la terre et je l'imagine avec un visage, comme les esprits de la forêt. C'est ainsi que je stimule ma créativité et mon esprit.

Certains jours, j'ouvre grand les bras en courant, juste pour sentir le vent, le soleil ou la pluie m'envelopper. D'autres jours, je voudrais crier «merci!» pour toute cette magie que j'expérimente. Je ne connais rien qui vaut la sensation de baigner dans la nature. Ce n'est pas la course qui me rend euphorique : c'est la nature, ses couleurs, ses sons, ses odeurs, les animaux et la voix dans ma tête qui me dit que c'est ça, l'illusion à la base de la magie d'être un humain. Je me sens bénie! Pleine de reconnaissance! *Le secret consiste à commencer la journée dans la gratitude.*

En revenant chez moi, dans cette grande boîte de béton (qui donne sur la forêt), je me sens énergisée, revigorée et en pleine forme. J'ai le sentiment d'avoir pleinement vécu *aujourd'hui*. Quelle façon merveilleuse, spectaculaire et énergisante de commencer chaque jour de ma vie!

. . . .

Sally Morningstar

Je crois sincèrement que la vie est un miroir qui me reflète en tout temps ce que je suis capable de percevoir et que c'est l'univers qui tient ce miroir dans ses mains aimantes. Peu importe la laideur ou la dureté de la réflexion, j'en suis venue à avoir confiance qu'une main sage se trouve toujours derrière. Comme les anciens Celtes, je crois que le miroir et le reflet de mon âme sont éternellement et inextricablement liés.

Quand les choses tournent mal, il nous arrive d'être troublés par des émotions intenses qui nous épuisent et nous distraient. Parfois même, elles en arrivent à presque nous détruire, juste au moment où on exige encore plus de nous et où n'importe quelle vague sur l'étang ne sert qu'à rendre les choses plus difficiles à voir.

J'essaie alors de calmer mon agitation, de voir clairement le reflet qui m'est envoyé et d'établir des liens. Comme j'entretiens une relation étroite avec la nature, je me tourne vers elle pour lire les signes ; je relie les points d'un trait de façon à brosser un tableau plus clair de la situation.

À mesure que je grandis en sagesse et en compréhension, les reflets de la vie s'impriment sur le sentier magique que je choisis d'emprunter. Pour travailler ainsi avec le miroir, je m'adresse à la reine d'Alfheim, gardienne du miroir des âmes, aussi connue sous le nom de reine des fées.

MÉDITATION DU MIROIR

La reine des fées possède un miroir magique qui reflète la vérité, la clarté et la guidance et défléchit le mal. La reine tient une pure perle blanche dans une main et un miroir de verre dans l'autre. Que vous sentiez ou non sa présence, qu'elle reste invisible ou se manifeste par des visions, des rêves ou un signe (papillon nocturne ou diurne, ou autre créature ailée), nous pouvons en tout temps faire appel à sa guidance aimante, lui demander de nous montrer le reflet de la vérité ou demander que son miroir dévie loin de nous une négativité injuste et nous protège du mal.

Il existe plusieurs moyens de rencontrer la reine : s'asseoir sous son arbre sacré, l'aubépine ; au sommet d'un tumulus, d'une butte ou d'une colline ; dans une caverne ou une grotte, le long du littoral, ainsi que dans des endroits et des moments charnières (comme le crépuscule).

Je commence par me centrer et me calmer quelques instants, jusqu'à ce que je sente que l'atmosphère autour de moi et en moi s'est imprégnée de magie. J'ouvre ensuite mon âme et mon cœur et je répète trois fois :

« Mère, gardienne de la vraie lumière de mon âme, je t'en prie, entends-moi. » (Agitez une clochette après chaque répétition.)

Ensuite, je décris la situation et, parfois, je demande ce que je crois nécessaire (protection, guidance, intuition). Immobile, je respire pendant quinze à trente minutes, en m'efforçant d'être un reflet aussi fidèle que la surface d'un miroir, ouverte aux indices qui se présentent. Je conclus ma méditation en remerciant et agitant une clochette trois fois.

Je fais ensuite un geste de bonté utile au monde naturel.

Pamela J. Ball

Un cadeau parfait

Dans ma vie, j'ai vécu quelques moments marquants qui m'ont laissé une impression profonde. Mon premier souvenir est probablement de m'être tenue sur la digue près de notre maison, en Écosse, et d'avoir observé la marée montante. Je devais avoir à peu près cinq ans ; la journée était venteuse et orageuse, et la mer, magnifiquement sauvage. Je me souviens clairement avoir pensé qu'une telle puissance était à la fois excitante et terrifiante. Je venais de mettre le doigt sur quelque chose qui dépassait ma compréhension.

Depuis ce jour, la mer a occupé une place proéminente dans mon imagerie personnelle, autant quand j'étais enfant qu'une fois devenue adulte. En fait, c'est le côté récurrent de cette première image qui m'a poussée, des années plus tard, à commencer à étudier la signification des rêves. La mer représente la conscience cosmique ; l'océan agité, le chaos de la création, mais aussi l'intuition féminine dans tous ses aspects, que plusieurs ont raison de craindre.

À mesure que je développais ma clairvoyance, ma médiumnité, l'interprétation des rêves et les autres compétences dont je me sers au quotidien, j'ai appris à utiliser la puissance de la mer pour nettoyer et régénérer mon être intérieur. Pour moi, c'est un moyen que je considère comme rien de moins qu'un miracle. Souvent, peu importe l'intensité de ma fatigue ou de mon trouble, en acceptant de passer une journée au bord de la mer avec des amis qui m'invitaient juste au bon moment, je suis revenue revigorée et prête à me relancer dans l'action. Pour emprunter à la culture de la drogue une de ses expressions : je « planais ». Je me souviens en particulier d'une fois où en me libérant de ce qui m'oppressait, j'ai fait s'assombrir une portion de la mer autour de moi. En même temps, j'ai pris conscience que je m'élevais hors de mon corps.

À la fin de 2004, lors du tsunami, quand Poséidon, l'antique dieu de la mer, a protesté contre la désolante surexploitation des ressources planétaires, je n'ai pu que m'excuser et déverser dans le vaste océan tout ce que j'ai pu rassembler d'amour, de compassion et de guérison. Une bien petite offrande pour un si beau cadeau…

Alberto Villoldo

Nous autres, chamans, avons des guides animaux, des guides spirituels et des anges. Vos guides animaux sont votre lien avec les forces élémentaires de la nature.

Je me suis déjà perdu pendant près de quatre jours dans la forêt amazonienne. Les deux premiers jours, je me suis dit : « *Alberto, tu n'es pas perdu. Être perdu est un état d'esprit. Tu ne sais simplement pas où tu te trouves.* » À la fin du troisième jour, cependant, j'ai dû admettre que j'étais bel et bien perdu.

J'ai donc fait appel à mon animal de pouvoir pendant la période de rêves, et elle m'a dit de suivre ses traces. Au matin, j'ai relevé la piste d'un jaguar, que j'ai suivie pendant trois heures, à travers la forêt, jusqu'au bord d'une rivière. La piste m'a mené le long de la berge jusqu'au confluent d'un cours d'eau plus large où j'ai rencontré un missionnaire en canoë, qui m'a ramené chez lui.

C'est la nature qui me rend le plus heureux. La randonnée pédestre dans les Andes est mon passe-temps favori. Machu Picchu, en particulier, est un lieu spécial où j'ai passé plusieurs nuits à méditer sous les étoiles. Après un moment, je suis devenu accro aux révélations incroyables qui m'étaient envoyées. J'ai ensuite découvert qu'elles ne m'apportaient qu'une euphorie temporaire. Le véritable cadeau, c'est le sentiment d'être vivant à chaque instant. Tous les instants devraient être chéris, pas seulement les moments d'épiphanie et de révélation qui, d'un certain côté, distraient de la véritable beauté du quotidien.

Mes méditations m'entraînent vers un lieu de profonde quiétude où je contemple le genre de monde que je voudrais laisser en héritage aux enfants de mes enfants. Je ne m'intéresse pas à la résolution méthodique des petits problèmes. Rêvons plutôt à ce que pourrait être notre monde, un monde où les peuples vivent paisiblement ensemble, où les rivières sont propres et l'air est pur.

Glennie Kindred

Journal

Méditer en marchant est devenu mon nouveau plaisir dans la vie. Outre les bénéfices de la méditation assise, méditer en marchant m'apporte une communion plus profonde avec mon environnement. Je décide consciemment de rester centrée sur ma respiration comme je le fais d'habitude, et d'accepter calmement mes pensées, sans les encourager. Je crée la quiétude en moi. Je suscite l'Amour, la Compassion et le Ravissement pour le monde extérieur.

Je marche en méditant dans plusieurs situations et endroits différents, mais ce que je préfère, c'est me promener en forêt. Je tiens un journal où je note les intuitions et compréhensions qui me viennent durant ces promenades méditatives. En voici un exemple :

> Me voici à nouveau dans le silence de la forêt hivernale, attirée ici par mon désir de solitude, mon besoin d'être près de la terre et des arbres. Une sensation de calme m'effleure tandis que je marche entre les arbres et je prends conscience que j'ai glissé dans leur champ d'énergie. Je réponds en ralentissant le pas, et une merveilleuse quiétude m'envahit. Je respire profondément, inspirant l'air riche en oxygène, rempli de molécules donneuses de vie, précieux cadeau invisible offert par les arbres. Je suis consciente que ces composés organiques que j'inspire deviennent une partie de moi en pénétrant dans mes poumons et en étant absorbés par mon sang. Je respire littéralement l'essence des arbres.

J'envoie ma gratitude aux arbres. Ils donnent leurs grands cadeaux de guérison librement et simplement à tout le monde. Il suffit de s'asseoir et de respirer avec eux pour en ressentir les bienfaits.

Aujourd'hui, je me sens invitée à m'asseoir avec un chêne qui s'élève sur une butte, entouré de jeunes bouleaux blancs. Une fois assise, le dos contre son tronc, je regarde la vallée en contrebas. Je sens la profonde stabilité qui vient de son enracinement à cet endroit précis. Je me permets de prendre le temps de rester là et de rêvasser. J'attends de voir ce qui me sera inspiré.

Le secret de la communication avec les arbres repose dans notre capacité à ralentir suffisamment pour enregistrer la manière dont ils s'adressent à nous. Voilà en quoi consiste le grand cadeau qu'ils nous font : nous devons modifier notre perception. Les arbres ne se servent pas de mots; ils communiquent en images d'énergie qui suscitent en nous des réponses émotionnelles. C'est une forme de communication antérieure au langage; je dois apprendre à habiter ma quiétude intérieure pour accéder à cette interface indéfinissable à la frontière du temps et en faire l'expérience. Dans la mythologie celtique, on le nomme le «le lieu entre les mondes» ou «l'autre monde» : interface entre notre réalité superficielle et l'Esprit, c'est un espace de magie et de mystère.

Tandis que l'unité et la complétude de cet arbre me sont reflétées, je sens un mouvement de compréhension faire naître en moi une nouvelle conscience de mon être. C'est ce que je recherche dans le calme hivernal de la forêt : expérimenter l'union avec toute vie, savoir que je suis beaucoup plus que ma réalité de surface.

Ici, en cette période sombre de l'année, quand les jours sont courts et la terre en dormance, je me repose et, immobile, je prends conscience des semences qui se forment en moi, nouvelles facettes de mon être qui attendent de grandir en temps opportun.

Je me questionne : «*Qu'est-ce que je souhaite apporter à ma vie? Qu'est-ce que je veux voir grandir en moi?*» Ce sont mes semences de transformation, d'espoir et d'avenir. Ce que je change en moi se reflète dans ma vie et s'ajoute au changement dans le monde.

Nous sommes tous responsables du monde que nous créons. J'imagine un nombre croissant de personnes troquant l'ancienne vision de séparation et de domination pour la nouvelle unité intégratrice et le respect de la Terre, de tous les êtres et de la toile interreliée de toute vie.

Jane Alexander

Elle est l'auteure de *The Detox Kit* (Hay House), *The Overload Solution* (Piatkus) et *Spirit of the Home* (Thorsons).
Pour en savoir plus, visitez www.janealexander.org.

Caroline Shola Arewa

Elle a écrit, entre autres, *Opening to Spirit, Way of the Chakras* (tous deux chez Thorsons) et *Embracing Purpose, Passion and Peace* (Inner Vision Books).
Pour en savoir plus, visitez www.creatingease.com, www.success-withoutstress.net ou envoyez un courriel à shola@creatingease.com.

Pamela J. Ball

Elle a écrit le *Grand dictionnaire des rêves et leurs interprétations* (Caractère), *10,000 Ways to Change Your Life* (Arcturus) et *A Woman's Way to Wisdom* (Quantum).

Barefoot Doctor

Il a écrit, entre autres, *Le guerrier urbain : Manuel de survie spirituelle* (J'ai Lu), *Libérez-vous!* et *La vie que je veux* (tous deux chez Marabout).
Visitez son site à www.barefootdoctorworld.co.uk.

Sarah Bartlett

Elle est l'auteure de *Fated Attraction* (HarperCollins), *Women, Sex and Astrology* et *Feng Shui for Lovers* (tous deux chez Orion).
Pour en savoir plus, visitez www.sarahbartlett.com ; pour consultation et correspondance, envoyez un courriel à sarah@sarahbartlett.com.

Brian Bates

Il est l'auteur de *The Way of Wyrd*, succès international de librairie publié chez Hay House.
Pour en savoir plus, visitez www.wayofwyrd.com et www.brianbates.co.uk.

Laura Berridge

Elle donne des ateliers et des consultations appelés *Rediscover & Dress the Goddess Within You*, pour aider ses clientes à s'habiller de manière à exprimer leur essence.
Pour en savoir plus, visitez www.goddesscollection.co.uk.

William Bloom

Il a écrit, entre autres, *The Endorphin Effect, Working with Angels, Feeling Safe* et *Psychic Protection* (tous chez Piatkus), et récemment, *Soulution: The Holistic Manifesto* (Hay House).
Pour en savoir plus sur l'holisme, visitez www.williambloom.com ou envoyez un courriel à wm@williambloom.com.

Dawn Breslin

Elle est l'auteure de *Zest for Life* (Hay House) et de *Allez-y foncez!* (AdA).
Pour en savoir plus, visitez www.dawnbreslin.com.

Dr John Briffa

Il a écrit, entre autres, *Ultimate Health – 12 Keys to Abundant Health and Happiness* (Penguin) et *Natural Health for Kids* (Michael Joseph).
Pour en savoir plus, visitez www.drbriffa.com.

Simon Brown

Il a écrit, entre autres, *The Practical Art of Face Reading* (Carroll & Brown) et *Feng Shui Bible* (Godfield Press). Il est membre de la Feng Shui Society, de la Macrobiotic Association et de la Shiatsu Society. Pour en savoir plus, téléphonez au 020-7431-9897, envoyez un courriel à simon@chienergy.co.uk ou visitez www.chienergy.co.uk.

Deepak Chopra, M. D.

Il est l'auteur des succès de librairie suivants : *Esprit éternel et corps sans âge* (Alain Stanké), *Les sept lois spirituelles du succès* (Éditeur Guy Trédaniel), *Vivre en rajeunissant* (Éditions du Rocher) et *Le chemin vers l'amour* (J'ai Lu).
Pour en savoir plus, visitez www.chopra.com.

Sonia Choquette

Elle a écrit, entre autres, *Vitamins for the Soul* (Hay House) et *À l'écoute de vos vibrations* (AdA).
Pour en savoir plus, visitez www.soniachoquette.com.

Carina Coen

Dans le cadre de son entreprise thérapeutique Mercarina proposant un bien-être total, elle continue d'explorer le concept du mariage des thérapies et des idées axées sur la créativité, l'holisme et la beauté.
Pour en savoir plus, visitez www.mercarina.com.

Diana Cooper

Elle a écrit, entre autres, *Angel Inspiration, Discover Atlantis*, une série de fiction spirituelle (tous chez Hodder Mobius), ainsi que plusieurs disques compacts de méditation et oracles angéliques (jeux de cartes).
Pour en savoir plus, visitez www.dianacooper.com.

Hazel Courteney

Elle est l'auteure de *The Evidence for the Sixth Sense* (Cico Books), ainsi que de trois ouvrages sur la santé, deux sur la spiritualité et de deux livres de recettes.
Pour en savoir plus, visitez www.hazelcourteney.com.

Jude Currivan, Ph. D.

Elle a écrit, entre autres, *The Wave* (O Books), *The 8th Chakra* (Hay House) et *Many Voices, One Heart* (récemment publié chez Hay House).
Pour en savoir plus, visitez www.judecurrivan.com.

Sarah Dening

Elle est l'auteure de *The Everyday I Ching* (Simon & Schuster), *The Mythology of Sex* (BT Batsford) et *Healing Dreams* (Hamlyn).
Pour en savoir plus, visitez son site Web à www.sarahdening.net.

Dronma

Pour en savoir plus et voir ses œuvres, visitez
www.dronma-art.com.

Dᴿ Wayne W. Dyer

Il a écrit, entre autres, *La sagesse des anciens*, *Le pouvoir de l'intention* (tous deux chez AdA), et *Secrets of Your Own Healing Power* (Hay House).
Pour en savoir plus, visitez www.drwaynedyer.com.

Cassandra Eason

Elle est l'auteure d'ouvrages sur la magie, la divination, le développement des facultés psychiques et la spiritualité de la nature, tels *Cassandra Eason's Complete Book of Tarot* et *Cassandra's Psychic Party Games* (tous deux chez Piatkus).
Pour en savoir plus, visitez www.cassandraeason.co.uk.

Chris Fleming

Il anime l'émission *Dead Famous*, au réseau Living TV, où il enquête sur les phénomènes paranormaux.
Pour connaître les dernières nouvelles, visitez
www.unknownmagazine.com.

Lynne Franks

Elle a écrit *The SEED Handbook: the Feminine Way to Create Business and GROW* et *The Modern Woman's Handbook* (tous deux chez Hay House).
Pour en savoir plus, visitez www.lynnefranks.com.

Adam Fronteras

Il a écrit, entre autres, *Instant Tarot* (Collins & Brown) et *Family Sun Signs* (Zambezi Publishing). Il dirige Esoteric Entertainment, une entreprise dont la mission consiste à fournir de l'information psychique aux médias.
Pour en savoir plus, visitez www.adamfronteras.co.uk.

George David Fryer

Il travaille régulièrement avec la médium Samantha Hamilton, avec qui il anime des ateliers.

Pour en savoir plus et pour voir ses œuvres dépeignant des guides spirituels, visitez son site Web (www.georgedavidfryer.co.uk).

Alicen Geddes-Ward
Auteure de *Faeriecraft* (Hay House), elle donne des ateliers partout au Royaume-Uni. Pour en savoir plus, visitez www.faeriecraft.co.uk.

Samantha Hamilton
Pour en savoir plus sur ses ateliers, ses lectures et ses retraites, visitez www.mettacentre.co.uk.

Joan Hanger
Elle a écrit, entre autres, *Diana's Dreams* (Blake Publishing) et *Le petit livre des rêves* (Presse du Châtelet). On peut communiquer avec elle en envoyant un courriel à www.penguin.co.uk.

Hamilton Harris
Pour en savoir plus, envoyez un courriel à hharris391@btinter-net.com ou téléphonez au 0207-928-7733.

Fiona Harrold
Elle est l'auteure de *Be Your Own Life Coach*, un succès de librairie, *Ten Minute Life Coach* et *The Seven Rules of Success*, son plus récent ouvrage (tous chez Hodder Mobius).
Pour en savoir plus, visitez www.fionaharrold.com.

Louise L. Hay
Elle a écrit, entre autres, *Heal Your Body* (Hay House) et *Transformez votre vie* (AdA). Pour en savoir plus, visitez www.louisehay.com.

Tracy Higgs
Elle dirige un cercle de développement des facultés psychiques, donne des ateliers et des lectures individuelles.
Pour en savoir plus, envoyez un courriel à spiritpsychiccentre@hotmail.co.uk
ou téléphonez au 0870-757-0690.

Inbaal

Elle donne des lectures à la télévision et publie dans les journaux. Pour en savoir plus, visitez www.inbaal.com.

Judi James

Elle est l'auteure de six romans et de huit ouvrages non romanesques sur le langage corporel, l'automotivation et la gestion du stress.
Pour en savoir plus, visitez www.judijames.com.

Dadi Janki

Elle a signé plusieurs ouvrages pour la BKWSU, dont *Companion of God* (Hodder).
Pour en savoir plus, visitez www.bkwsu.org.

Pauline Kennedy

Pour en savoir plus ou pour prendre rendez-vous pour une séance individuelle de guérison chamanique ou une consultation de feng shui, visitez www.mightyspirit.com.

Glennie Kindred

Elle est l'auteure de neuf ouvrages célébrant les festivals celtes, la tradition herboriste, l'alimentation fruitière, la tradition sylvestre, l'ogham celtique et les cinq éléments. Elle a récemment publié *The Alchemist's Journey* (Hay House). Pour en savoir plus, envoyez un courriel à glenniekindred@w3z.co.uk.

Michele Knight

En plus de signer des articles pour la presse nationale, elle donne des lectures individuelles et des ateliers.
Pour en savoir plus, visitez www.micheleknight.co.uk ou téléphonez au 020-7497-2423.

Lucy Lam

Pour des questions et des lectures astrologiques, envoyez un courriel à lucylamastro@yahoo.co.uk.

Stephen Langley

En plus de sa pratique en santé à la Hale Clinic de Londres, il donne des conférences sur la médecine naturopathique un peu partout dans le monde.
Communiquez avec lui en téléphonant à la Hale Clinic au 020-7631-0156.

Richard Lawrence

Il a écrit, entre autres, *Realise Your Inner Potential* (Aetherius Press). Pour en savoir plus sur son centre de méditation, visitez www.innerpotentiel.org. Pour en savoir plus sur lui, visitez www.richardlawrence.co.uk.

Gina Lazenby

Elle a écrit, entre autres, *La maison feng shui : la décoration du bien-être* et *La maison du bien-être* (tous deux chez Flammarion). Pour en savoir plus, visitez www.thehealthyhome.com.

Leora Lightwoman

Elle a écrit *Tantra: The Path to Blissful Sex* (Piatkus). Pour en savoir plus, visitez www.diamondlighttrantra.com ou téléphonez au 08700-780-584.

Robin Lown

Son expertise est mise à profit dans la presse, sur scène et à la télévision.
Pour une consultation, téléphonez au 01424-731-895.

Mandy Masters

Pour en savoir plus sur ses démonstrations, ses spectacles, ou pour une lecture individuelle, visitez www.mandymasters.com, téléphonez au 01375-402-061 ou envoyez un courriel à info@mandymasters.com.

Sue Minns

Elle est l'auteure de *Soulmates: Understanding the True Nature of Intense Encounters* (Hodder Mobius).
On peut communiquer avec elle en envoyant un courriel à minns62@aol.com ou en téléphonant au 01803-863-656.

Sally Morningstar

Elle a écrit, entre autres, *The Art of Wiccan Healing* (Hay House), *The Wiccan Way* (Walking Stick Press) et *The Wicca Pack* (Godsfield Press).
Pour en savoir plus, visitez www.sallymorningstar.com.

Leon Nacson

Il a écrit neuf ouvrages, dont trois succès de librairie sur les rêves (Hay House), dont *Au fil des rêves* (AdA).
Pour en savoir plus, visitez www.dreamcoach.com.au.

Michael Neill

Il a écrit *You Can Have What You Want* (Hay House).
Rendez-lui visite en ligne au www.geniuscatalyst.com.

Kelfin Oberon

Il a publié à compte d'auteur quatre recueils de poèmes intitulés *Accelerating Rhymes*, dont *The Return of Da Faeries*. Il publie régulièrement une lettre d'information aussi intitulée *Accelerating Times*.
Les demandes de renseignements sont les bienvenues : envoyez un courriel à kelfinoberon@hotmail.com.

D^re Susan Phoenix

Elle a écrit, entre autres, *Out of the Shadows: A Journey Back from Grief* (Hodder Mobius), et publiera bientôt *Angels, Auras and Energies*.
Pour en savoir plus, visitez www.phoenixplanes.com.

Penney Poyzer

Animatrice de *No Waste Like Home*, elle signe également un ouvrage portant ce titre.
Pour en savoir plus sur sa maison écologique, visitez www.msarch.co.uk/ecohome. Pour en savoir plus sur Penney, visitez www.nci-management.com.

Emma Restall Orr

Elle est l'auteure, entre autres, de *Living Druidry* (Piatkus) et *Druid Priestess* (HarperCollins). Comme auteure spécialisée

dans la tradition druidique, elle a écrit pour la presse et fait de nombreuses apparitions à la télévision et à la radio.
Pour en savoir plus, visitez www.druidnetwork.org.

Jon Sandifer

Il a écrit *Macrobiotics for Beginners* et *Feng Shui* (tous deux chez Piatkus).
Pour en savoir plus sur ses livres, ses cours et ses conseils, visitez www.fengshui.co.uk.

Ian John Shillito

Il a collaboré à l'écriture de *Behind the Curtain: West End Theatre Ghosts Revealed*, à récemment publié.
Pour en savoir plus, visitez www.theglitterkeepsonfalling.org.uk.

Sarah Shurety

Elle est l'auteure de *Quick Feng Shui Cures* et de *Feng Shui for Your Home* (tous deux chez Rider & Co.).
Pour de plus amples renseignements et pour en savoir plus sur ses livres et ses produits, visitez www.fengshuisite.com.

Silja

Pour en savoir plus sur la sorcellerie, ou pour obtenir des conseils et de l'information sur les sortilèges, envoyez un courriel à silja@iamawitch.com.

Gordon Smith

Il a écrit *Le messager des esprits*, *L'incroyable vérité*, *À travers moi* (tous trois chez AdA), ainsi que *Souvenirs d'un médium* à paraître en 2008 chez AdA également.
Pour en savoir plus, visitez www.psychicbarber.co.uk.

Chuck Spezzano

Il est l'auteur de *Happiness is the Best Revenge* et *If It Hurts, It Isn't Love* (tous deux chez Hodder Mobius). Il a aussi créé la Psychologie de la vision, un modèle révolutionnaire de thérapie curative.
Pour en savoir plus, visitez www.psychologyofvision.com.

Shelley von Strunckel

Ses chroniques sont publiées en six langues dans plusieurs publications à travers le monde. On peut les consulter dans son site Web à www.shelleyvonstrunckel.com.

Alla Svirinskaya

Auteure de *Secrets de l'énergie* (AdA), elle a beaucoup écrit pour la presse et fait de nombreuses apparitions à la télévision et à la radio.
Pour en savoir plus, visitez www.allasvirinskaya.com.

Angela Tarry

Pour en savoir plus sur la photographie des auras, la chromatothérapie, ou pour obtenir une consultation individuelle, envoyez un courriel à AngelaTarry @aol.com.

Gloria Thomas

Elle est l'auteure de six ouvrages, le dernier étant *Anxiety Tool Box* (Thorsens Element).
Pour en savoir plus, visitez www.reshape.co.uk.

Eckhart Tolle

Il est l'auteur du succès de librairie *Le pouvoir du moment présent*, de *Quiétude* et, tout récemment, de *Nouvelle Terre* (tous chez Éditions Ariane).
Pour en savoir plus, visitez www.eckharttolle.com.

Alberto Villoldo

Il a écrit *L'âme retrouvée* (AdA) et *Shaman, Healer, Sage* (Hay House).
Pour en savoir plus, visitez www.thefourwinds.com.

Doreen Virtue

Elle est l'auteure de plus de 20 ouvrages sur les anges, les chakras, les enfants cristal et indigo, la santé et l'alimentation, dont les succès de librairie *Guérir avec l'aide des anges* et *Messages de vos anges* (livres et cartes oracles) (tous deux chez AdA).
Pour en savoir plus, visitez www.angeltherapy.com.

Jayne Wallace

Pour en savoir plus sur ses lectures, visitez www.jaynewallace.
co.uk ou envoyez un courriel à jayne@jaynewallace.co.uk.

Becky Walsh

Elle a collaboré à l'écriture de *Behind the Curtain: West End
Theatre Ghosts Revealed* et de *Acting with Spirit: Change your life
dramatically!*, tous deux à paraître prochainement.
Pour en savoir plus sur ses ateliers et les événements auxquels
elle participe, visitez www.lightofspirit.com.

Summer Watson

Pour en savoir plus sur la guérison des maisons et les consultations, envoyez un courriel à summer-awatson@yahoo.co.uk ou
téléphonez à 01249-712-296.

Wyatt Webb

Il est l'auteur de *Five Steps to Overcoming Fear and Self-Doubt*, *It's
Not About The Horse* et *What To Do When You Don't Know What
To Do* (tous chez Hay House). Pour en savoir plus, visitez
www.miravalresort.com.

David Wells

Il a récemment publié *David Wells' Complete Guide to Developing
Your Psychic Skills* (Hay House).
Pour en savoir plus et connaître l'horaire de ses apparitions à
l'émission de Living TV *Most Haunted*, et à d'autres émissions
télévisées, visitez www.davidwells.co.uk.

Kate West

Elle a écrit, entre autres, *The Real Witches' Handbook*, ainsi
que d'autres ouvrages dans la série *The Real Witches'…*
(HarperCollins).
Pour en savoir plus, visitez www.pyewacket.demon.co.uk.

Stuart Wilde

Il est l'auteur de 15 ouvrages sur la conscience et l'éveil, dont
Life Was Never Meant to Be a Struggle, *Silent Power* et *God's Gla-*

diators (tous chez Hay House) et *Miracles* (AdA). Pour en savoir plus, visitez www.stuartwilde.com.

Perry Wood

Il est l'auteur de *Secrets of the People Whisperer* (Rider & Co). Pour en savoir plus, visitez www.peoplewhisperer.com.